岩　波　現　代　文　庫

「科学にすがるな！」

宇宙と死をめぐる特別授業

佐藤文隆
Humitaka Sato

艸場よしみ
Yoshimi Kusaba

社会 335

JN053871

岩波書店

目　次

プロローグ …… 1
第1章　死は科学で解明できるのか？ …… 4
第2章　宇宙と人間の関係は？ …… 34
第3章　私たちはどこから来たのか？ …… 81
第4章　私たちは世界をどう見ているのか？ …… 112
第5章　死の永遠性は物理の時間で解けるのか？ …… 129
第6章　宇宙のはじまりの解明と科学の役割 …… 151
第7章　学ぶ意味、生きる意味 …… 177
エピローグ …… 215

あとがき……227
現代文庫版あとがき……237
解説　宇宙と死をめぐる根問……サンキュータツオ……253

カバー・本文イラスト＝高山ケンタ

プロローグ

佐藤文隆先生

突然のお便りを差し上げる失礼をお許しください。

宇宙研究の最前線を切り拓いてこられた先生が、「死ぬ意味、生まれてきた意味」についてどうお考えになっているのか、お話をお聞きしたいと思い、このようなお手紙を差し上げました。

「病気になりたくない」「死にたくない」とは誰しもが願うことだと思います。しかし人間必ず死ぬのであれば、死を乗り越えるための、安らかに死を迎えるための言葉に出会いたいと思いました。

生や死についての思索は、これまで哲学や宗教、文学などがその役目を担ってきたと思います。しかし、先生が取り組まれてきた宇宙の研究からのアプローチで、死の意味をお話しいただきたいのです。

現代はとくに、死を忌み嫌う時代のように感じます。裏腹に昨今の健康ブームがあると思うのですが、これが長じると、人間がすべてをコントロールしたいという欲望につながるようにも思います。

これは、われわれが自然と遠く離れてしまったことが大きな原因のような気がしてなりません。いっぽう、自然に深く接してこられた方は、人間が自然の一部であることを肌で感じ、人間の存在について謙虚に、また死についておおらかにとらえておられるように感じることが多くございます。

かくいう私も都会生活者で自然とは遠い生活をしていますが、満天の星空を見上げたり雄大な自然に触れたりすると、「なんと人間はとるに足らない存在だろう」と思い、一時的に死の恐怖心が薄れます。

では、自然科学に造詣の深い方はどうなのだろう。なかでも、宇宙の誕生や進化について研究を進められ、なおかつ人間の存在について深い洞察をおもちの佐藤先生は、人間の生と死をどのような実感をもって感じておられるだろう。「死と生の意味」についてどんなお考えをおもちだろう。ぜひそのお考えをうかがいたいのです。

先生の膨大なご著書を読破できたわけではありません。いえ、拝読したご著書さえ、私には非常に難しかったことを正直に申し上げます。

しかしそれでもなお、先生のお話をお聞きできればと思いました。

もしこのたびの申し出に関心をもってくだされば、いちどお目にかかる機会を与えていただけないでしょうか。

艸場よしみ 拝

＊　＊　＊

艸場様
甲南大学の佐藤宛に出されたお手紙を今日拝見しました。

ご趣旨にそう人間かどうかは疑問ですが、お会いしてお話を交わすことは期待します。会う場所は京都市内がいいと思います。日取りは、二〇日に北野の洛星高校にしゃべりに行くので、そのあとそこらで落ち合うというのが一案です。

この「二〇日案」が不可の場合は、三つぐらい貴方のほうから候補日を提案ください。

佐藤文隆

第1章　死は科学で解明できるのか？

約束の日。私は指定された喫茶店に二〇分ほど早く入った。店内を見わたしたが、もちろん佐藤先生らしき姿はない。念のため店の中をくまなく歩いて確認し、ほっと息をついて席に着いた。

メールで返事が来たのは、手紙を出した三日後だった。時期を見計らって先生の研究室に電話をしようと考えていた私は、その朝も「そろそろかけようか。いや、まだ早いな」と思いながら、毎朝の日課でパソコンのメールソフトを立ち上げたら、satohという送信者名のメールがあったのだ。佐藤……先生……!? 思わず両手を胸の前で握り、椅子から立ち上がって部屋をウロウロしたときの浮遊感が、鮮やかによみがえる。

先生の風貌は、著書に載っている五十代のころの写真と、偶然にも二日前に新聞に掲載されたインタビュー記事の写真が手がかりだ。新聞の写真がいちばんあてになるのだが、どうも顔つきがはっきりしない。

しかし店内は若い人ばかりだ。先生が入ってきたらすぐにわかるだろう。もし見逃しても私に気づくよう、先生の著書をテーブルに目立つように置いた。

『宇宙論への招待』

ずいぶん昔に手にとって、そのまま本棚に眠っていたものだ。この本が出たころ、世の中は宇宙ブームだった。当時私は、宇宙について人並みの教養を得ておこうと思ったのだろう。しかし中身が難しくて拾い読みで終わらせて、内容もほとんど覚えていない。ただ、この本の著者が科学にとどまらず歴史や哲学に造詣が深いことを、ぼんやりと知った。

それから二〇年以上たって、個人的な体験から科学者に死を語ってほしいと思った私に、佐藤文隆という名前が浮かんだのだった。

「この人なら、私が知りたいことに答えてくれるかもしれない」

改めてインターネットで調べた——一九三八年生まれで、宇宙研究の先駆者。一線からは退いているが特別客員教授として大学で教べんをとり、講演や著作活動も精力的に続けていた。ある本で「ものかき物理学者」と紹介されていたように、専門書から教科書そして一般の人向けまで、多くの本を出している。哲学者や宗教学者と対談したり、広範なジャンルの人たちと協同で科学と人間について論じる全集も編纂していた。むしろ最近は、宇宙を解説した本より、科学と社会との関わりや科学を通した世界観を論じた本が目につく。

しかし、佐藤先生の本は一般向きのものでも難しくて、ちょっとやそっとでは理解できない。そんな私が、果たして的を射た話が聞きだせるだろうか。そもそも相手にしてもらえるだろうか。

しかし話を聞こうと決めたら、どうしても会いたくなった。勇気を出して手紙を書いたのである。何度も何度も書き直し、便箋の束を半分むだにして、やっと書き上げた手紙だった。

店は西大路通りに面した大きなガラス張りで、歩道を歩く人の姿がよく見える。午前中に先生が講演をしていた高校の方角を気にしつつ、店の二つのドアが開くたびに背伸びして目をやった。

数分して、七〇歳前後の痩身の男性が店に入ってきた。「あ……」と思ったが、買いものか散歩のついでにふらりと立ち寄ったという風情で、店内を気にする様子もなく私の斜め後ろのテーブルに歩み寄り、ベージュのコートを着たまま腰をおろした。

「まだ早いし、先生じゃないな」

私は再びドアのほうを気にしながら先生を待った。

一人、また一人と客が入ってくる。近くの立命館大学の学生だろうか、若い人ばかりだ。

さっきの男性がちょっと気になる。私に背を向ける格好で座っているその後ろ姿にちらっと眼をやると、ダスターで手を拭ったあと、ぼんやり何かを考えているように椅子に背中を預けている。

先生と会ったことはないが、著書に載っていた写真の先生は、並んで映っていた人たちと比べて背が低く、顔つきも丸くてふっくらしていた。二〇年前とはいえ、くだんの男性とはかなり印象が違う。

「まさかね……」

さらに一〇分ほど過ぎた。まだ先生は現れない。

約束の時間にはまだ余裕があったが、念のためと思って立ち上がり、男性のそばに行った。

「あの、失礼ですが、佐藤先生でいらっしゃいますか？」

男性はあっと顔を上げた。

「ああ、そうです」

私はびっくりして、

「艸場です。こちらに座っておりました」

というと、

「ああ、そっちのほうが座りやすそうだ」

と先生が立ち上がった。私たちの様子に気づいた店員が近づき、水の入ったコップを先生と私と店員の三人で持つような格好になって、互いに「あ、いや」と少しあわてながらそろそろと移動した。

「こっちに座るのがいいね。話しやすい」

と、先生は私と直角になる位置に腰を下ろした。

「あなた、達筆だねえ。ぼく緊張したよ」

席に着くなり、先生はほがらかな声でいかにも感嘆したようにいった。

「ええっ⁉ 先生が、そんなこと！」

緊張の糸が一気にほぐれ、大きな声で笑ってしまった。

「すみません、もっと早く気づけばよかったんですが、こんなに早くおいでになるとは思わなかったので」

と言い訳すると、

「いや、ここで食事をしようと思って早く来たの。講演のあと散歩がてらに金閣寺に行ったんだが、人でいっぱいでねえ。なかなか進めなくて昼を逃したんだ」

「ええ、どうぞご遠慮なく」とメニューをわたすと、先生はサンドイッチを注文した。

少しの沈黙のあと、私は改めて自己紹介をした。

「私、本を書いたり編集したりしています。前に書いた本をもってきました」

「ああ、そうそう。メールもらったあとグーグルで見てね。こんな本を書いている人なんだって」

先生は、私が書いた本のページをめくりながら、

「どうして今回のようなことを思ったの？」

と尋ねた。


数年前、立て続けに二人の友人をがんで亡くした。二人とも五三歳だった。同じころ、親しい友人が乳がんになった。翌年、仕事仲間の子どもが亡くなった。一二歳。小児がんだった。

一〇年ほど前、私自身が死を意識する体験をしたことがあった。健康診断で皮膚がんの疑いがあるといわれ、さらに肺に影が見つかった。精密検査までのおよそ一週間、私は最悪の事態を覚悟しながら過ごすことになった。

死ぬとはどういうことかをイメージしようと試みた。何があっても落ち着いて受け止められるよう、気持ちを慣らしておこうとしたのだと思う。買い物に行くため自転車をこぎながら、「この景色を見られなくなるのだ」と思った。その景色は色彩を失って、後ろに下がっていった。老人を見かけると、「あの人はあの歳まで生きてこられたのに、

私はもう死ななくてはならないのか」と思った。

台所に立って野菜を刻んでいる最中に、死ぬとはここから永遠にいなくなることなのだと思ったとたん、力が抜けて包丁をもったましゃがみこんだこともあった。

結果は幸いにもいずれも問題のないものだったが、このときから、世の中がいかに死や病気や老いを拒否しようとしているかを肌で感じ、違和感をもつようになった。

このころ世の中は健康ブーム真っ盛り。「死んでもいいから健康になりたい」というジョークがあるくらい、人は健康になることに邁進するようになった。「健康がいちばん」と喧伝する健康食品のコマーシャル。「私いくつに見えます？」と、アンチエイジングをうたう化粧品の広告。「元気が何より」と誇らしげに胸を張る、見るからに頑健な人たち。

病を得た人たちは、こんな場面をどんな気持ちで見るのだろう。先に「幸いにも」といったが、私はこの言葉をいうのさえ気が引ける。幸いでない人が聞いたらどう思うだろう。

こうした経験は、死をもっと自然なもの、当たり前のものとしてとらえたい、いやとらえるべきでは？という思いにつながっていった。健康ブームの裏には死や老いへの恐怖があり、それと矛盾するようだが、人は、自分は死なないと思っているようにさえ見えた。まさに私がそうなのだ。口では、死を自然なものとしてとらえたいといっているが、それは死への恐怖の裏返しなのだ。

　こんなことを考えながら、いずれ訪れる死に対してその恐怖を克服したいと思った。私自身が、死をできるだけ自然に受け入れられるようになりたいと思った。


　子どものころ、死を考えて眠れなくなった夜があった。私は窓を開けて星空を見た。


「あの星ぼしは、何万光年のかなたにあるらしい」

　宇宙の果てしなさに圧倒されて「なんと人間はちっぽけなんだろう。こんな星空を見ながらだったら、安心して死ねるかもしれない」と思い、窓のそばにふとんを引きずっていった。

　宇宙には、生命や死の神秘が隠されていそうに思う。やっぱり人智を超えたものがあるのだろうか。でも、ほんとうはどうなんだろう。宇宙の研究者は何かに気づいているのだろうか。宇宙を科学的に解き明かしていった果てに、人間存在についてどんな考えに至るのだろう。

　私は、本屋に並ぶ宇宙の本をめくったり、インターネットで検索したりしながら、私の問いにこたえてくれそうな天文学者を探しはじめた。すると私が星空を見て感じたように、天文学者も人間が誕生した意味について思いをはせることがあるらしく、宇宙の解説本の中にはそうした話題に触れたものもあったが、たいしたことは書かれていなかった。

　そうこうしているうちに、「佐藤文隆」に行き当たったのだ。

「どうして今回のようなことを思ったの？」

　私は答えた。

「端的にいえば、言葉がほしいのです。安らかに死ぬための言葉を。哲学や宗教の視点ではなく、科学者の視点で死を語っていただきたいのです」

　先生は黙ってうなずいたあと、「先に昼を食べてしまおう。それから話をしよう」と、サンドイッチを手にした。


「ぼくが月給をもらってやっていることは」――先生は食後のコーヒーを一口すすったあと、テーブルの上の一点を見つめて口を開いた。

「何々は何々にすぎない、ということ」

　思いがけない話のはじまりに、私は思わず横顔を見つめた。

「ここにヘビがやってきたとしよう。ぼくからいわせれば、単にそれは、ヘビというものをつくっている分子が集団的に移動したにすぎない。体内の信号が抵抗を受けて、移動しているだけなのだ、とね」

私は息を止めて次の言葉を待った。先生はコーヒーカップを手にしたまま、「ある意味これは知的爽快である」と、ふと笑った。

「サイエンスで見れば、とくに先端のサイエンスで見れば、すべては原子や分子のレベルで見ることができる。遺伝子であろうがなんだろうが、すべて分子の組合せでつながっている」

私の心は青ざめた。こういう考えの人だったのか。

「物をそういう見方で見たとき、もともとあなたが漠然ともっていた見方が完全にひっくりかえるだろうか？　というのが、あなたの興味あるところだと思う」

そうなんだろうか。私は自分の胸の内をのぞこうとしたが、その暇もなく先生は静かに、しかしきっぱりと続けた。

「だがね、自然や自然物がサイエンスで解明されると思うのは間違いである」

何と答えればいいのだろう。

「世の中の人は、自然をどう見るかという話をサイエンティストに聞けばいいと思っている。だがサイエンティストは、危ない連中だよ」

先生がふふっと笑う。

「むかし、世の中を乱すことをいう危ない宗教家がいたが、科学者もこういう連中である。一面はね」

私もつられてふふっと笑った。

「だからといって、なら始末してしまえ、撲滅してしまえというのは困るがね。科学というのは、生きる上でのいろんな技術やノウハウ……、たとえば、つまらないことで体を壊さずにすむ知識をもたらす。科学者は、基本的には人間に奉仕している生き物である。だから変なことをいうやつだけど、みんなで飼っている」

一呼吸おいて、先生は少しだけ強い表情になった。

「ぼくはね、「自然をどう見たらいいでしょうか、サイエンティスト様」という姿勢をまったく否定する」

そしてはじめて私の顔を真正面から見つめ、「騙されてはいけない」とほんのかすかに微笑んだ。私は訳がわからないまま、かすかにうなずいた。

「しかし、そうした科学のノウハウでいろいろやってきたらインターネットができた。昔でいえば魔法使いですよ、科学者とは」

中世の錬金術師の絵が頭に浮かんだ。

「科学者は、物を原子や分子で考えるように頭をいっぺん入れ替えて、自然を特殊な見方で見ることで、インターネットを動かした。光ファイバーで伝わるのはフォトン、つまり光の粒だという目で見ることで、ハイテク技術を生み出した。世の中の人にすれば、科学者は便利なものをつくってくれさえすればいいわけです」

だが、と先生はよどみなく続ける。

「じっさいには、インターネットではフォトンではなく気持ちが伝わる」

まあそうだが……。

「空に浮かぶ太陽だってそうです。太陽についての物理法則は何ですか？　といわれれば、磁場がどうで核融合がどうで、と科学者は答える。しかし、あなたにとって太陽はそういうものですか？」

どう返事しよう。

「われわれが太陽についてもつ感覚は、それとは違う。科学的に正しい知識をいわれたって、わからない」

わからない？

「科学や数学の知識がないからわからないということではなく、簡単にわかるようなことじゃない。自然とは何ですかと問われたって、ぼくだってわからない」

私は混乱していた。

「逆にいえば」

と、先生は独り言のように話し続ける。

「ＩＴにせよ医療にせよ、大部分の科学は物を原子や分子レベルで見ることによって、新たな何かを知ろうとしている。だが、そこから生まれるものを、科学を知らない人は選択しないといけない。科学者が「これこれができる」といったものをすべて世の中が使うかといえば、決してそうはならないんだ」

どういうことだろう。

「たとえば、遺伝子組み換え食品があるでしょう？　科学的に考えれば、自然が行ったか人工的に行ったかの違いにすぎないが、一般の人は気持ち悪がって感覚的に受け付けない。そんな、世間が受け入れないものをつくったほうも馬鹿だということになってしまうがね」

はあ……。

「人間とは、社会的動物です。サイエンスの知識を得る前から、「そうだよね」「そうだよね」といいながら合意して世界をつくり上げてきた。その時代時代の、自然をハンドルできる能力で社会をつくってきたわけです」

それが正しかろうが間違っていようが、と先生は続ける。

「とくに近代五〇〇年は変わらない。もっといえば、五万年くらい前の時代にぼくらをひょいともっていっても、おそらく同じだといわれている。二〇万年くらい前だと、骨格もちょっと違うかもしれないけれど」

先生は通りに目をやった。

「ぼくたちは微分方程式を解く。猛獣に追いかけられていたときと同じ思考様式で」

私も窓に視線を移した。

「われわれ人間には集団的につくり上げてきたものがある。それが虚像であっても、人間集団にとっては実在なのだよ」

先生のいう意味がわからずに、窓の外をぼんやり見つめていた。

「ぼくは、実在には三つあると考えている」

「実在、ですか？」

われに返った私は、前のめりになって聞き耳を立てた。

「ふつう、物理で「物がある」というと、時間空間の中にぽんとあるわけやね」

先生の口調にはときどき京都弁が混ざる。

「いっぽう、頭で考えたことや夢に見たことはイメージだけで、「物」としてはない」

「ええ、おっしゃることはわかります」

「……と思うところが錯覚なのである」

え？

「この目の前のカップにしたって、頭にカップが「ある」わけではないですよ。光に反射してカップが見える。視覚によって、脳にカップの像を結ぶ。それとほら、こうして触った感覚」と、目の前のコーヒーカップを両手でくるんだ。

「これらはつまり、瞳と手からの電気信号が脳に伝わり、「ある」と認識している。じっさいに頭の中に物が「ある」わけではない」

だが、カップという「物」は、実際にいま私たちの目の前にある。いま私が消えても、カップはそのままある。私と関係なく存在する。カップとは、そういう「物」のはずだ。

「このかたいカップは第一の実在で、外界（がいかい）です。石でもいいし地球でもいい。人間がいなくても外界はある。しかしこれをカップだとぼくたちが認識するのは、電気信号の作用。いっぽう夢も、頭のどこかで信号が起きたことによる。つまりカップだと思うことと夢で思ったことは、同レベルの話なのだよ。これは第二の実在です。外界に対して内界（ないかい）、つまり人間の内部です。この第二の実在は外との関係で存在する」

外との関係で存在する？

「われわれが「物がある」というとき、物が頭の中にあるわけではない。いちど電気信号にして認識している。ようするに「信号」です」

信号によって脳で知覚されたものを、われわれは「物」といっているわけだろうか。

「夢を見たり考えたりすることと、カップをカップだと認識することは同じなのだよ。ただ、カップは外界と対応して認識するが、夢はそうじゃない。そこが違うだけ」

私は自分の頭の中に意識を集中させた。

「さて、第三の実在とは、ぼくたち人間が社会的に受け継いできたものをいう」

人間は社会的な動物だ、言語だとか慣習とかはぜんぶ第三の実在である、文学も科学も宗教も、と先生はいった。

「この第三の実在は、カップみたいに時空の上にポンとある物質ではないけれど、人間の社会の中で受け継がれ踏み固められてきたものです。そして、新しい科学的知見が現れれば、この第三の実在、つまりおおかたの常識は変化していく」

私はようやく口を開いた。「実在とは実際にあるということだけれど、グラムで表せる物質だけが実在ではなく、言語や文化も人間にとっての実在だということですか」

「そう。われわれが生きている世界はよく、人間の外側と内側という分け方で表現される。しかし、外界でも内界でもない三つ目の実在、つまりわれわれが長い時間かけて蓄積してきた慣習とか認識とかは、人間にとって物と同じくらい確かなものなのです。ごく簡単なことでいえば、互いの体をあまり近づけないようにするふるまい方だってそうでしょう。これはサルにもあると聞くから、その時代あたりからの蓄積かもしれない」

「よく、自然と直に触れ合って生きようとか、自然と行き来して生きようといった考え方があるが、ぼくはそうではないと思う。そこでわざわざ「第三の実在」といっている」

山があり川があるのと同じくらい、人間を支配しているものがある。それは、ある様式だったりマナーだったり言語だったりサイエンスだったりといった、われわれが社会的につくり上げてきたものである。それらはカップのように重さがあるものではないけれど、人間にとっての実在である、と先生は繰り返した。

「だって、ここに質量をもって存在するこのカップと、それを感じるぼくの内界だって、カップと内界の直接的な交流ではない。第三の実在をスルーしている」

先生のいいたいことが少しわかった。もし生まれてからたった一人で私が生きてきたとして、私の前にカップがあるとする。私はそれを見ても「カップだ」と認識しないはずだ。私にとってカップなんてものはないのである。私たちは、コーヒーを飲む道具としてカップを発明し、このかたいものはそういうものであるという共通認識を得ているから、これを「カップ」だと認識して、コーヒーを飲もうとするのだ。

「そうです。第一の実在についてわれわれが思っていることそれ自体が、特殊な思い方ですよ。第三の実在を参考にした、外界のものの見え方です。社会的なことをぜんぶはぎ取って、純粋に物そのものを思うなんて、うそである」

もの静かで断固とした口ぶり。

「目の前のカップにしたって、かたくて重さがあってたしかに実在であるが、カップであることは人間のあいだでそう思うようにしてきたものです。人間のあいだでつくってきた第三の実在……第三の世界といい換えてもいいが、それを取り去って、「自然と直に向き合うんだ」なんて、あり得ないのだよ。第三の世界があるからこそ、「カップはカップとして実在である」と認識しているに過ぎないのだから」

でも、自然は純粋に自然ではないのだろうか。

「「世間のしきたりを排除して自然と直に交わろう」などという人もいるが、それには意味はないと、ぼくは激しくいっている。直に交わろうという考え方自体が、近代の一種脅迫的なものに対するアンチテーゼだよ。世間、つまり第三の実在があなたをそういう気持ちにさせているのだ、とぼくはいいたい」

口調の強さに、思想の芯に触れたような気がした。しかしそれはまだ見えない。

「第三の実在に惑わされてはいけない、という意味ですか?」

「いや、逆です。サイエンティストが新たな見解を示しても、それでぜんぶが変わるわけではない。相変わらず「そうだよね」といい合いながらつくり上げてきた第三の実在……文化とか言語とか慣習とか、サイエンスも含めてね……これを、みんなもうちょっと大切に考えないといけない。ぼくがわざわざ第三の世界と大げさにいっているのは、そういうこと」

「重さのあるものを誰でも実在だと思うのと同じように、人間が合意してつくり上げてきた文化や習慣を、もっと尊重すべきだと?」

「ええ。ただしその中身は変化する。「そうだよね」「そうだよね」といっている中身は変わってきている」

「でもふつうは、第一世界が実在で、人間がいなくたって確固としてあり、それに対して第三世界は、人間が頭の中で考えたことにすぎないと思うのでは？」

「そういういい方を、ぼくは受け入れない。第一世界、第二世界、第三世界は同じ程度に実在で、対等なんだと。ぼくはいろんなことをそういう枠組みでとらえようとしている。その中でサイエンスは何ができるかと考えている」

少し間があく。私は黙ったまま次の言葉を待った。

「むかし、ヨーロッパの人びとが魔法使いを信じていた時代があった。魔法使いがじっさいに第一の世界を飛ぶのだと思っていた。しかし現代の人にとって、それはもはや第一世界に実在するものではなく、ファンタジーでしょう？」

魔法使いは文学や芸術の世界、つまり第三の世界のものになったということか。

「第三の世界はみんなで合意する平均値です。それは時代時代で中身を変えてきている。つまり平均値をみんなでバージョンアップさせているのです。これは、あなたがいった「死ぬとはどういうことか」ということと、ひじょうに関係がある」

私は改めて先生の顔を見た。

「あなたの主題である「死」というものを、第一と第二だけで考えたらむなしくなる。死というのは、第一世界の概念ではなく、第三世界の概念なのだよ」

でも死は確実に体がなくなること、つまり、先生のいう第一世界からなくなることではないのだろうか。

「科学的に原子や分子のレベルでいえば、生とは有機的な集合体ができることで、死とはそれがふたたびバラバラになっていくだけのこと」

やはり、そうなのか。

「しかしね」と先生は続けた。

「これは「死」ではない。「死」というとき、すでにサイエンスではないのだよ。死という現象は、第一世界の現象だとは思わない。第三の世界の概念です。死というのは第三の世界のターミノロジーで、サイエンスがわかったところで死がわかるわけではない」

では何を尋ねればいいのだろう。私は自分の考えをまとめることができないでいた。

「ぼくはね、人間とは実にけなげな存在であると思うよ」

けなげ？　首をかしげて先生を見た。

「星空を見ると涙が流れる、というロマンチックな人がいる。ぼくなどはその対極にあるようなものでね。涙が出てこないのは、ぼくが変だからだろうかと思うときはあります」

先生はくすっと笑った。私もつられて少し笑った。

「ぼくが到達した見方は、次のようなことである」

そのまま講義のような話しぶり。

「涙が出るのは、おそらく自然の偉大さや自然に包まれているような感じをもってのことだろう」

自然に畏敬を感じるのだろう。

「そういうときに二とおりある。一つは超越的存在があるという考え方です。大いなる神様みたいなのがいて、それが宇宙を治めている。神は天をガバナンスし、われわれ人間も星と同じようにガバナンスされている、と。それによって天と一体感や安心感を得るわけだね」

原始的な宗教はほとんどそうかもしれない。

「人類を超越した存在を置いて、そのうえで自然があるのだから、勝手に森の木を切ってはいけないと納得させていたわけです」

「ではもう一つは、超越的存在がないという考え方ですか？」

「いや、ないかもしれないし、あるかもしれない。けれどとにかく、自然は人間のことなど何とも思っていないし、われわれと何も関係がない、という考え方。われわれなど、いてもいなくてもよかった存在であるから、超越的存在がそこまで管理するほどのものでもない」

庇護者のような存在があってもよいが、われわれにまでは気が回らないだろう。気にかけてくれていると思うのは錯覚だろう、と先生はいった。

「最後の大氷河期が終わった数億年前あたりは、われわれは哺乳類の小ネズミだったといいます。小ネズミから霊長類に進化したわけだが、そこまで神様がケアしたとは思えない。だからそこに文句をいうのはやめよう。小ネズミの大きくなったのが、互いにない知恵を出し合ってずっと生きてきたのです」

だから、さっきからいっている第三の世界は、超越的存在がもたらしたものではないのだ、と先生は続けた。

「超越的存在が世の中のつくり方を教えてくれたのではない。小ネズミの大きくなったのが寄ってたかって、その中だけでつくってきたものである、というのがぼくの立場です。上からのお墨つきもなく、助けてくれる人もなく、そのかわり税金も取られない。こんな存在が、集団でいろんなマナーや知恵を残してきた」

広い広い宇宙の中の小さな点にすぎない地球の上で、小ネズミの格好をした人間が「そうだよね」「そうだよね」といいながら肩を寄せ合っている姿が浮かんだ。

「けなげだとは、そういうことです」

私は宙を仰ぎながら、「けなげ」という言葉を心の中で繰り返した。

「ぼくが思い浮かべるのはね……」

と、ちょっとはにかんだように言った。

「ほら、テレビであったでしょ。大草原のなんとかって、西部開拓期のドラマが」

「『大草原の小さな家』ですか？」

「そうそう。大草原のどこに家を構えてもいいわけ。ぼくが頭に浮かべるのはああいうイメージです。何らいわく因縁のない大草原の、たまたまどこかに杭を打ち、家を建て、人類は自分たちでけなげにいわく因縁をつくってきたのだと思う。外からの権威を背にせずに」

開拓者なのか、人間は。

「超自然的存在があってもなくても、ともかくあなたたち人間までは手が回らんよ、というのがぼくの発想です」

先生はさらに続ける。

「ぼくが人間をけなげだと思う理由の一つは、考えたことや知恵を、よくも延々と受け継いできていることです。これこそ、人間というものの特徴である。第三の実在を、物があるのと同じような感覚で受け取って生きている。何らお墨つきがあるものではなく、「そうだよね」「そうだよね」といいながらつくって伝えてきたのです。この第三の世界では、サイエンスはしょせん補助的なものだよ」

補助的？

「「そうだよね」とみんながいっているとき、サイエンティストが「物の原則からいえばそうではないから、ちょっと変えたほうがいいんじゃない」といえば、みんなは「なるほど、そうだよね」「うん、そうだね」とちょっとずつ合意の中身を変える。こうして、第三の世界にサイエンスの知識がある程度は生かされている。しかし、自然に対するわれわれの感覚を全面的に塗り替えているわけではない」

……なるほど。

「自慢じゃないけど、ぼくはあらゆる物質について説明できる。この水は何とかで誘電率はどうでとか、延々と何時間でも話せる」

それは……すごい。

「しかし、それで水がわかったかといえば、そうではない。だから、あなたのようなサイエンス音痴はサイエンス的な見方に感動してしまうかもしれないが、騙されてはいけない」

先生はさっきもいった。騙されてはいけないと。

「サイエンスで有用な意見はあるだろう。しかしサイエンスでわかったことで、昔からもっていた感覚をぜんぶ入れ替えることはできないし、やらない。さっきいった遺伝子組み換え食品がわかりやすい例です。サイエンティフィックな項目をぜんぶ並べて分子式を教えれば、人は抵抗を感じなくなるか？」

「いえ、そうはいかないと思います」

「サイエンスが行うことができるのは、第三の世界で受け継がれてきたもののうちの一部です。病気を治したり、便利な家電が発明されて家事が減ったりといった科学は有用だし、取り入れればいい。しかし、サイエンスでぜんぶ塗り替えるべしといったり、そのいっぽうで「サイエンスだけでカバーできないよね」と不満をいったりする姿はおかしい。サイエンスの位置づけをあまりにも大きく考えることは、間違いのもとなのです」

私は尋ねた。

「人間は取るに足らない、しかしけなげなものだとおっしゃるのは、いままでの研究を背景にしてそう思われるのですか」

「それはそうです。物理的にいえば、人間はしょせん原子の集合体で、それは事実だが、そのことに超自然的な存在が寄与したとは、科学的に考えて思えない。だけど、サイエンスの知識で「人間の感情は脳の電気信号だ」といわれても、われわれが積み重ねてきた感覚は入れ替わらない。人間という集団がつくり上げて受け継いできたものが七、八割われわれを支配しているんだと思う。ときどきこの平均値をバージョンアップさせながらね」

科学者である先生が、科学に大きな期待をするなといっているのだろうか。

「ぼくが月給をもらってやってきたことは、第三の世界への寄与だと思っている。人類がけなげに積み上げてきたことに貢献できたことが、生きがいといえば生きがいかもしれない。自分のあかしを、壊せない物で置いておくのではなくてね」

物で残すというのは、神社や銅像でもつくっておくような発想だろう。

「第三の世界に人類の一人として寄与できたことが、ある意味で永遠に生きるすべであるかもしれない」

「どうしてそう思うようになったのですか?」私は遠慮がちに聞いた。

「どうしてかといえば」

先生はちょっと戸惑ったように笑う。

「何のいわく因縁のある家に生まれたわけでもないし、けなげにやってきた。そんなぼくでも宇宙の理論がわかる。自分自身をけなげだと思う」

一一月も終わりに近い、土曜日の午後。窓から見える西大路通りは人通りもまだにぎやかだが、日は西日に変わっていた。

「いわく因縁がなくても、ステップバイステップに追えば科学はちゃんとわかるのだ。それが第三の世界の素晴らしさだとぼくは思う。

サイエンスの中身は、しょせん1+1の積み重ねです。でもそれをやっていると、ふつうは時間がなくなって、長い人類の文化に思いをはせる時間がない。１＋１の話を朝から晩までやっていると、「先生、宇宙とは何ですか」と聞かれたらついステレオタイプなことをいってしまう。

ぼくも三十代でテレビに出されたときは、ありきたりなことをいったと思う。だけど、若いときからそんな質問を突きつけられて長いこと考えてきたら、やっぱり違うなと思った。何かしっくりこなくて、ずっと考える羽目になったのだと思う」

私は少しためらいながら、でもさっきから感じていたことを素直に伝えた。

「先生は科学者として謙虚でいらっしゃると思います」

先生は一瞬おいたあと、まじめな顔でいった。

「そう、謙虚です」

「さて、今日はこのくらいにしておこう」

先生は席から立ち上がり、私はあわててテーブルに広げたノートやら本やらをバッグにしまった。出口に向かいながら、頭の中は何かで溢れそうになっていた。

「また続きをうかがいたいのですが、かまいませんか？」

「来週も洛星高校に話をしにくるよ」

来週か……。一週間で今日の話を理解して、新たに的を射た質問をする準備ができる

だろうか。私の不安な表情を見てとったのだろう、

「いや、時間をおいたほうがいいな。うん、ちょっとおいたほうがいい」

と、うなずきながらいった。外に出て、私は店の脇に止めておいた自転車を取りに行くためにあいさつをした。

「ここで失礼します。またご連絡します」

先生は交差点を渡った先にあるバス停に向かって、ゆっくり歩いて行った。私はその後ろ姿をずっと見送り続けた。

原始人と微分方程式

獲物として追われて逃げまわったり，獲物を追いかけたりしていた時代の人間は，今の人間と同じ思考能力だった．

（画：佐藤文隆）

第2章　宇宙と人間の関係は？

一月になっていた。風が冷たい。

先生とは京都大学北門前の進々堂で会うことになっていた。古い喫茶店だ。店内はカレーとコーヒーの香りが漂い、学生や学者ふうの人たちで混み合っていた。

先生はまだ来ていない。コーヒーを注文したあと、勉強した資料や先生への質問をまとめたメモを並べたが、さて何から聞けばよいものか、もやもやしていた。

先生にはじめて会ってから、私は迷路に迷い込んだような感覚に襲われていた。

先生は私にいった。

「死について漠然ともっている見方がサイエンスで塗りかえられるか？というのが、あなたの関心事だろう。しかし、サイエンスで解明されると思うのは間違いである」

期待していたのは、そういうことだったのだろうか？

夜空を見上げると、星ぼしの背後にある天空の無限の広さを思い、その向こうに人間の生死に関係する何かがありそうな思いにとらわれる。では、これを最新の宇宙研究から見たらどうなのだろう。宇宙の構造や起源を解明してきた人から、宇宙と人間存在や死の関係について示唆を仰ぎたい。こう思っていたことは確かである。

ただこれは、「死をサイエンスで解明してほしい」というのとはちょっと違う気がした。先生が積み重ねてきた研究と、死とは何かの答えには飛躍があると思うけれど、それでかまわない。宇宙を科学的に解明する果てに到達した「死ぬとは、そして生きるとは何か」を語ってほしいと思ったのだ。

でも先生は宇宙のことを何も話してはくれなかった。それどころか、どうとらえてよいかわからない話だらけだ。私が聞きたい答えはどこに隠れているのだろう。

そこで私は、先生と別れたあとメールを出していた。「次にお会いするときに、宇宙の話をしてください」と。先生の死生観が、宇宙を語るなかで見えてくることを期待したのだ。

しかし返信メールにはこう書いてあった。

「ここ十数年は、学校や一般向けには膨張宇宙や星の話はあまりしていません。九〇年ごろまでに終わったという認識です。宇宙は大昔のことですから」

困った。こうなれば自分で宇宙のことを勉強して、質問をぶつけるしかない。

今出川通りに面した店の窓から、向かいの京大の校舎がよく見える。先生の研究室はどこだったのだろう。窓の外と手もとの資料と壁時計に視線を行き来させていると、先生が扉の向こうに現れた。あ、と立ちあがって迎えるとすぐに気づいたようだ。「やあ」と帽子を取って入ってきた。

「寒いねえ」

肩をすぼめて笑う先生。

「ここに座ればいいかな」

私はコートを受け取って、壁の通気口をふさぐように置いた。

「コーヒーを飲んできたばかりだから、温かいミルクをもらおう」

「先生の研究室は、向かいの校舎にあったのですか？」

「いや、あれは工学部だね。ぼくは理学部だから、通りをはさんだ反対側。この店の裏側になる」

先生がミルクを手にし、落ち着いたのを見計らって、まず勉強の成果を報告しようと切り出した。

「ようやく少しわかりました。物理学と哲学はとても近いものなのですね。物理で探求しようとしていることは、物質の根源なのですね。古代の哲学者が万物の根源を探し求めたのと、同じなのですね」

すると先生から表情がすっと消えた。

「根源なんて」

がっかりしたように首を振る先生。

「ないんだよ、そんなもの」

ああ、私は何か間違ったのだ。頭の中がしどろもどろになり、どんな質問をすればよいかわからなくなった。

「根源なんていう言葉に意味はない。究極の物質を突き止めるなんて、軽々しくいう言葉ではないし、意味はないのだよ」

しかし、宇宙の誕生とともに、物質も、重力とか磁力といった力も、さらには時間や空間さえもつくられたと、いくつかの本に書いてあった。しかも、力や時空も「素粒子」という究極の粒子に還元されるという。そして物理学者はこの粒の起源を探しているらしい。私は何とか言葉をつなごうとした。

「最新の理論では、物質の根源は「粒」ではなく「振動するひも」なんですってね」

「いまのぼくには興味がないね。世の中でもっとリアルな、自然についての知識が増すようなことなら、いまだって興味があるけれど」

と、ふいと横を向く。

「最近話題になっている暗黒物質については、どうなんでしょう？　じつは宇宙の大部分は暗黒物質、つまりまだ解明されていない不思議な物質で満ちているそうですね」

何とか食い下がろうと、返事を待った。

「それも、なんの意味もないという話がはじまるだけだ。やめよう、その話は」

と、さえぎるように手を振った。

「ナンセンスな話ですよ」

そうなのか？

「いや、ぼくがそういっているだけのことです」

と苦笑いする先生。

「同世代の学者には、ぼくみたいなふつうじゃない人が多いと思うが……難しいもんやね。何十年ないわけだ」

何がないのだろう。

「あなたには、最新のワクワクする話がいっぱいあるように見えるかもしれん。しかし、ここ何十年もたいした進展がないんですよ」

先生のメールに、「宇宙は大昔のことですから」というフレーズがあった。たしかに先生が宇宙について解説した本のほとんどは、一九八〇年から九〇年に書かれている。その中ですでに、超ひも理論や暗黒物質についての考察が紹介されていた。

「暗黒物質の存在は、何十年前からいわれている。しかしそのあと何も動きがない。

ほかにやることがあるでしょ、といいたいね」

「解明が進んでいないのですか？」

「そりゃあ、進展がまったくなかったわけでもない。一九九九年にある観測値が出て、これまでの方程式に入れてみたら右辺と左辺が合わへん、どうしようという事態になった。これ自体は新しい事実です。合わへんのは何だろう、ダークエネルギーつまり暗黒の存在としておこう、となったんだ」

とりあえず名づけておいたということらしい。

「しかしそこには何の意味もない。計算に合わないとわかったことが、巨大な観測装置を何百億円かけてつくった成果です」

先生は皮肉っぽくいう。

「暗黒物質はこれから解明するに値するものですか？」

「ええ。大きな発見ではあるからね」

しかし先生はつまらなそうな顔をしている。解明することによって、驚くような新しい事実が明らかになる可能性はないのだろうか。

「方程式が間違っているんじゃないかと思うがね、ぼくは。つまり、力の統一理論に関係しているのかもしれない」

自然界に存在する力は四種類に分類できるらしい。重力、電磁気力、強い力、弱い力である。力の統一理論とは、この四つを一つの力に統一しようとする理論である。物理学的に考えると、力が四つに分かれているのはおかしなことで、一つに統一できる理論があるはずだと世界中の物理学者が挑戦しているらしい。

先生がいったことを具体的には理解できないが、イメージはできる。

「何か不思議なものがあるのではなく、宇宙の全エネルギーのつじつまを合わせる方程式が変わる可能性がある、ということですね？」

「うん。そう思っている人は研究者の半分くらいいる。どっちにせよ、バタバタしたってわかるわけじゃない。ああでもないこうでもないと議論が出尽くしたら、あとは次の観測を待つだけだ。ただしその観測には巨大なお金がかかるんだ。世界的に不況だから、そんなのにお金は出せないでしょう。そりゃ研究が進展すればいいと思うが、騒いで議論して決まるもんじゃないんだ。いまは置いておけばいいんです」

宇宙の、そして生命の神秘が隠されていそうに思った暗黒物質が、シュルシュルとしぼんでしまった。

さて、何を聞こう。頭の中のにわか知識の束を猛烈なスピードでめくり、改めて宇宙のはじまりの話をもち出した。

「宇宙はビッグバンではじまったと聞いていました。でもいろんな本を読むと、宇宙の誕生時には、真空の状態からインフレーションとよばれる現象で急激に膨張したのだと書いてありました……ええっと……ビッグバンって、インフレーションのことなんですか？」

先生の目が再び鋭くなる。

「あなたね、そんなこだわりは何の意味もない。ビッグバンにしろインフレーションにしろ、そういう事実は言葉から出てきた概念ではない。好きなようにしたら？　といいたいね」

泥沼にはまりこんでしまいそうだ。

「大事なのは、「ビッグバンとよばれる現象で天体ができた」ことがわかったことです。ぼくはずっと前から、「宇宙はビッグバンからはじまった」などという知識は二束三文の値打ちもないといっているのだよ。値打ちがあるのは「なぜそう考えられるか」です」

そうだった。先生は、物理の基本的な知識を吹っ飛ばして宇宙とは何かを知ろうとしたり語ろうとしたりする態度に、いくども警鐘を鳴らしている。

「間違っても、宇宙のはじまりから話をはじめていまの天体がこうしてできたと、旧約聖書みたいな発想で宇宙を語るのは誤りなんだ」

そうなんだ……。

「宇宙の姿を時間の順序でいえば、宇宙は時間と空間そのものが誕生することではじまり、次に火の玉のような宇宙になって、そして星ができ、いまわれわれが見る天体を形成していった。しかし、あなたは時空が生まれたときの宇宙をイメージできますか？」

私はかすかに首を振った。

「そうでしょ。現状からかけ離れて物事を予想することは、それだけ曖昧になるのです。科学者は、絶えず現在から試行錯誤的に宇宙のはじまりを予想する努力をしている。それも、物理や数学の概念、つまりわれわれ自身が開発した言語を用いてね。科学の成果は、石ころみたいにどこかから拾ってきたものじゃない。現在を土台にしない知識に意味はないのだよ」

自分の頭で推論して腑に落ちる知識にこそ意味があるのだと先生はいい、小さなためいきをついた。

「それにしても、世間の誤解はなかなか消せないものです。言葉というのはおそろしいものだ」

何がいいたいのだろう。

「なるほど「ビッグバン」は大きな爆発という意味だが、物理学者は最初、そういう意味で使ったんじゃない」

たしか二〇〜三〇年前だ。車いすの天才物理学者ホーキング博士の来日とともに、ビッグバンという言葉が私たちの耳に入ってきた。

「宇宙誕生の話題が世間で盛り上がって、膨張とか熱いとかいうキーワードと、ビッグバンから連想する「大きな爆発」のイメージが合わさったんだねえ。「金融ビッグバン」なんて、宇宙以外の現象にも使われた。ぼくも請われるままに、世間にビッグバン理論を解説したものだが、宇宙の誕生を大きな爆発でイメージする人たちの発想を消すのに、エネルギーの大半を費やさないといけない」

宇宙を説明するとき、暗黒物質とかブラックホールといった、想像力を刺激する言葉があふれている。難しい化学反応の話題は専門家に任せておいて平気なのに、宇宙のことになるとそうはいかない。星空は毎夜見えるのに、行ったりさわったりできないから、よけい気になる。はるか彼方の天空に、自分の存在の頼りみたいなものを求めてしまうのかもしれない。

「小説にするなら、それでいいでしょう。しかし科学はもっとシビアなものです」

先生のいいたいことがわからないまま、宇宙の話題を展開させようと言葉をつないだ。

「いまも一種の宇宙ブームだと思います。「はやぶさ」がもち帰ったカプセルの話題とか……」といったとたん、また先生の顔がくもった。

「それが違うといっているんです」

私は首をすくめた。

「ぼくがいう宇宙は、「はやぶさ」とは関係がないのです。宇宙という言葉がいかに人びとの心を翻弄しているか。宇宙という言葉はややこしいですよ」

ややこしいとは？

「「はやぶさ」と、ビッグバンや素粒子の話が非常に近いものだと、あなたは思っている。この二つを「宇宙」という言葉でまとめたんじゃないかと思うがね」

黙ったままうなずくと、お話にならないといったように首を振り、

「「はやぶさ」とビッグバンの距離と、「はやぶさ」と内閣改造の距離とどっちが近いかといったら、明らかに内閣改造との距離が近いですよ。ぼくのいう宇宙は、「はやぶさ」とはまるっきり関係ないんだ。単に言葉のイメージでぱっと結びつけたんだよ、あなたは。そういう錯覚の世界であなたも生きている」

「「はやぶさ」は地球のごく近くを飛んでいるから、地球のでき事とのほうが距離が近いという意味ですか？」

「いや、関係のなさですよ」

先生は苛立っていた。しかし私は、先生の比喩がすぐには理解できない。

「多くの人は、科学技術と宇宙は別物だと思っているんだな。数学や物理は大嫌いだが、宇宙のことはわかるはずだと思っているらしい。だが、今日の科学技術をつくり出

した物理学で、宇宙は解明されてきたのです。その認識が欠けているんだ」

私はますます小さくなった。そのまま私のことである。

「『はやぶさ』の熱狂は、宇宙物理ではなく社会政策の範疇です。物事の本質が違うのです」

何を聞いても的が外れてしまう。どうしたらいいだろうと思いながら、おずおずと口を開いた。

「そもそも星空を見上げたとき、私たちは宇宙のどこまでを見ているのですか？」

「肉眼で見えているのは、銀河系でしょうね」

銀河系とは、地球が所属している銀河のことだ。

「銀河系には星が一兆個くらいある。空に見える大部分の星は、太陽と同じような天体です」

昔、夜空の星ぼしが太陽のように燃えていると知ってショックだった。月がいちばん明るく輝いているのに、燃えていないのを知っていたからだ。

「そして銀河系は、無数にある銀河の一つにすぎない」

宇宙には、私たちの銀河系と同じような銀河が一兆個あるらしい。つまり、宇宙全体では星が一兆個×一兆個ある計算になる。

ふと、地球は何だろうという疑問がわいた。「たしか地球は惑星でしたよね？」

あまりにも初歩的な質問をしたのだろう。先生は戸惑ったように首をかしげた。

「ん？　……惑星というか、固体ですね」

固体？

「太陽みたいな恒星はガス体だが、地球は固体天体といったほうがいいね。惑星という名は運動から見たいい方だからね」

太陽の表面はセ氏六〇〇〇度。内部はもっと高温でどんな物質も気体になっているという。こんなふうに、恒星は高温のガスが球状にまとまったものだ。それに対して、地球は冷えた固い物質のかたまりという意味で固体天体というらしい。

「あのう、地球はどうやってできたのですか？」

「太陽が固まって縮んでいくときに、周辺にほんのわずかに散らばったものからできた惑星の一つで、宇宙の歴史の中では新しいものです」

散らばる？　よくわからない。そもそも太陽はどうしてできたのだろう。

「宇宙空間にはガスが漂っていて、回転運動している。ガスの密度にはむらがあって、この密度の「縞」が伝播していく。このとき重力でギュッと縮んで密度が高くなり、星になるのです」

空気を押しながら音が伝播していくのと似たようなものらしい。

「誕生した星は最初は低温だが、中心で核融合反応が起こってエネルギーが放出されていくと、ワーッと明るくなって、太陽という一つの恒星が輝きはじめたのです。で、地球はどうやってできたかというあなたの質問だが」

先生は冷めたミルクを飲んだ。

「ガスが縮んで太陽になっていくとき、ごみの回収がきちんとできなくて、取り残されたようなものです。」

地球は太陽の部分みたいなものなのだと先生はいった。

「ガスが太陽の周りを回っているものだから、散らばったごみは遠心力がきいて落下できずに残ったんだ。そうしたごみがぶつかりながら合体し、惑星などに成長する」

私は「回っている」という言葉に引っかかった。あのう、と先生の顔をちらりと見て切り出した。

「回っているんですか？」

先生は奇妙な顔をした。

「回ってるでしょ。私たちは太陽の周りを」

私が引っかかったのは、ガスが回っていると先生がいったことだった。このとき、太陽系も銀河も何もかもが回っていると、先生がどこかに書いていたのを思い出したのだ。

「いったい、いつ回り出したのですか？」

ひと呼吸おいて、先生がいった。

「もし回っていなかったら、「なんで回ってないんですか」と聞くんだろう？」

何をいいたいのだろう。

「大部分が回っているというだけで、回る必然性はないが、回っていることのほうが多い。両方とも回らないように分かれるなんて、めったにないんだ。これは力学でわかることだが」

どう説明すればよいのだろうとでもいうように、足を組み替えた。

「いや、回っていない天体もあります。しかし大部分は回ります」

と先生は矢継ぎ早にいう。

「あのね、回っていないというのは、ものすごく特殊な状態ですよ。じっと回らないでおるなんて、考えられる？　そういうふうに考えてごらんなさいな。なんで回るかという問い方は意味がないんです」

私の理解などお構いなしに、どんどん続ける。

「そりゃ、必ず回るわけじゃない。ただ、ほうっておいたら大部分のものは回ります」

回る、回らない、回る……。頭の中までグルグルしてきた。私は何だか可笑しくなって、子どもがせがむような口調になった。「どうして回っているんですか、どうしてですか？」

「それならあなたに聞こう。なんで止まってるんですか？」

先生は応酬したあと、可笑しそうな顔をした。

「まあしかし、ガリレオやニュートンの地動説はそういうことだ。なんで地球は動かんといかんのかといい出せば、じゃあなんで止まっているのか、と逆に問う。どっちもいえるわけですよ」

「止まっていると、何かの拍子に支えきれなくてぜんぶバサッと落っこちそうな気がします。回っていると、その力で保たれるような気がします」

「そう、遠心力だね。だから残ったんだよ。回っていないものもあったが、太陽は違ったということです」

先生は続けた。

「空に見える星の大部分は太陽と同じ恒星で、どの恒星の周りにも地球みたいなものが回っているのだろう。でも小さいし、まん中にある恒星の光で眩しいから、いまの望遠鏡では見えんのです。でも太陽系のようなものをもっていない恒星もありますよ。つまり両方あるんです。なぜかといえば」

と、今度は先回りする。

「それは偶然でしかないんです。両方あるんです。どっちでもいいんですよ」

先生は何かを思いついたように、鉛筆を手に持った。

「あのね、動いているという状態には何種類もある。動いているという言葉の中身は非常に多様です。でも止まっているという状態はゼロやんか。ユニークやんか。そんなものはめったにないよ」

と、手もとのメモ用紙に直線を引きはじめた。

「これが動いている速度だとしますね。左端がゼロで止まっている状態だ。あとはみな動いていますね、漠然と。定性的にいってないからね。つまりこの線上には何百種類の「動いている」というのがある」

紙に覆いかぶさるようにして、鉛筆を持つ指に力を込めながら直線上に点を打っていく。研究室で数式に没頭しているみたいな先生。

「なのにあなたは「動いているここじゃなくて、どうしてものすごく特殊な止まっているこの一点にならないのか?」と問う。それがむしろ不思議や」

ふうん、そういうふうに考えたらいいのか……。

先生は紙からやっと目を離し、半ばあきれたような顔をした。私はすみません、と首をすくませた。

「いや、さっきのガリレオだがね。地動説が受け入れられたときにも同じ発想があるんです。原因がなければ動かないと考えてしまうんだな。何もしないと動いてなくて、動かすには誰かが力を加えたんじゃないか、とね」

と、手で押すような仕草をして、いった。

「で、それは何かと聞いているわけでしょ？　あなたは」

そうかもしれない。

「動いていることを不思議に思うなら、すべて止まっているとしよう。そして、誰がまず止まらせたのか、と考えてみればいい」

「……誰が止まらせたのですか？」

「ぼくのほうこそ聞きたいわ」

しばらく二人で笑った後、先生が気を取り直していった。

「これが合理的に考えるということです。ちょっと落ち着いて考えれば、問題はそれじゃないことに気づくのです」

宇宙にある物質のほとんどが回っているのは、重力、つまり万有引力の作用が関係しているのだと先生はいった。

「重力とは質量のあるものに作用する力です。このとき、質量があるとなぜ力が発生するのか、という理解の仕方をしないんだ。重力という作用を引き起こすものを質量とよんでいるとしかいえんのです。そういった質問に意味はないのだよ」

「はい」。私はこれ以上叱られたくなかったから、素直に返事をした。でも、ほんとうはやっぱり知りたかった。いったい誰が最初に回らせたのか。

私は別の質問をした。

「宇宙はどんな形をしているのですか。私たちは、どうしても地球を中心に宇宙が四方八方に広がっているように思いますが、地球、いや太陽系、いや銀河系が宇宙の中心ではないし、そもそもどこが中心ということがないらしいですね。それに、宇宙は平坦だともいわれています。でもその意味がよくわからないのです」

「それは算数の話だね。空間が曲がっているとか、光がまっすぐ進むということです」

物理の知識が乏しい私には、意味がよくわからない。

「ほとんど平坦です。ただし、いま見ている範囲で平坦だということです。常にそういういい方をしないといけない」

見ている範囲で平坦？

「もし、こんなにガチッと曲がっていたら」

と両手で直角に角度をつくり、

「ここからここに行くには、直線距離で行くより距離が遠くなる」

と、右手首から左手首に視線をすべらせた。

「だから曲がっているとわかります。でもその曲がり方がほんのわずかだったら、その差には気がつかないでしょ。いまの高性能の望遠鏡で実際に見た範囲では、こんなにガチッと曲がってはいないことがはっきりした」

まだわからない。平坦という言葉からは平面をイメージする。でも、私たちがイメージする宇宙は立体的だ。それに、平坦ならどこかに中心がある気がする。

あのう、と、顔色をうかがいながら尋ねた。「平坦なら端っこはどこですか？」

「平坦だから、むしろ端がないのだよ。だって、端があったら、その箇所で平坦ではなくなるじゃない」

よけいわからない。

「いまのところ平坦で平坦で……とずっというしかないんです。もっと大きな望遠鏡で、もっと広い範囲を見ることができたら、曲がっていることを発見するかもしれない。大金をかけて観測したら調べることはできますよ」

ようやくわかった。

「いまの技術で観測できた範囲で計算すると、曲がっていないといえるのですね」

「そうです。これは数学的な概念です。「平坦であることが、いまどれくらいの距離までわかっているんですか」と聞かれたら、この範囲では平坦で、端はないとはっきりいえる。もし端が見つかったら、その箇所で平坦ではなくなります」

いいかえれば、どこで曲がっているかを調べている最中だということだ。

「これは頭で考えてわかることではなく、観測でわかるんです。だが観測にはお金がかかる。お金をかけて次々大きな望遠鏡をつくれば、もっと遠くまで観測できるでしょう。しかし、そこまでお金をかける必要があるのか。子ども手当と宇宙が平坦かどうかの解明と、どちらを大事に考えてお金をかけるのか、バランスの問題だよ」

先生は何かを考えているようだ。

「この手の問題を子ども手当の話と無関係に考えるのが間違っているんだよ、やっぱり。……あのね、地球の表面は曲がっているでしょ？」

何をいおうとしているのだろう。

「しかし、ふつうわれわれは曲がっていると思って行動しませんね。ぼくがいいたいのは、それを知って何をするのかがないまま、曲がっているか曲がっていないかと聞くのは意味がない、ということ」

私は困惑したまま先生を見つめた。

「何のためにあなたは聞いているのかね？　隣の家に行くのに、地球が曲がっているかどうかが心配で足が出ないというなら、曲がっていませんよと答えてあげよう。しかし電波を地球の裏側に送りたいなら、地球は曲がっているから地表と平行に送っても届かないことを知る必要がある」

反論のすきを与えず話し続ける先生の顔が、大きくなったり小さくなったりしていた。

「あのね、知識というもののとらえ方を間違っていると思う。知識とは何かをするためのものです。科学の知識の大部分も、人間が生きていくための知識です。ところがいまの質問のように、どっちでもいい気がかりなことを、科学の答えるべきことだと思う人もいる。ウイルスが発見されて、これを何とかしないといけないと思う人もいれば、そんなことより宇宙が無から生じたのかどうか答えてくれと科学に要求する人もいる。後者はソーシャルに馬鹿である。知識はそういうものではない。自分が社会的に行動する、あるいは人前で何をいうかいわないかといった、自分が行うことのために知識がいるのです」

私はウイルスを何とかしたいとも思うし、宇宙の果てを知りたいとも思うのです……しかし、これを口にする余裕はなかった。

一番聞きたかったことがあった。躊躇したが、思い切って尋ねた。

「宇宙ができる前はどんな世界だったのですか？」

「そんな話はサイエンスじゃない。根源という話題と同じだ。そんなレベルの高い話は、帰りに平安神宮にでも寄って考えればいいことです」

憮然とする先生。

「宇宙のはじまりの話をすると、必ず「そのはじまりの前はなんですか」という質問が出る。宇宙を考えるとき、時間のはじまりは避けられない問題となってしつこく問われます。ぼくもむかしは、適当な答えを用意しておかねばならないと思ったものだが」

開き直ったようないい方。

「考えるのは勝手です。しかし科学では、さかのぼっていくことしかできないのです。宇宙の歴史を過去にさかのぼったら、天体がないということがいえるだけ。じゃあその先は？と問われれば、さあどうだろうねと答えるだけだ」

語調が荒くなる。

「だいたい、なんであなたは宇宙なんてややこしいテーマを、科学の典型のように取り上げるの？ぼくはそれに苛立つんだ。日本の科学者は七〇万人もいて、そのうち宇宙をやっているのは一〇〇〇人くらいだよ。あなたはちょっとずれているんだ」

私はやっとの思いで尋ねた。

「私がしつこく宇宙のことを尋ねるのは、宇宙が無限とか転生輪廻といった、人間の生死の謎に迫る何かがあるのか、あるいはないのか。その手がかりを探ろうと思うからです。命がどこから来てどこへ帰るかの手がかりが、隠れていそうに思うからです」

「それはポエムの話です。そこで宇宙をよび出されたら、宇宙がかわいそうだよ」

私はうつむいた。

「そもそもぼくは、宇宙という言葉が嫌いでね」

え？

「まともにものを考える回路を鈍らす、麻薬的な言葉なんだよ」

宇宙といったとたんそれ以上考えなくなる、思考を停止させる言葉なのだと先生はいった。

「宇宙のでき事を、地上とは異なるあの世みたいに語ることを、ぼくは受けつけない。ぼくは常に宇宙を地上化しているんだ」

地上化？

「ぼくの話は発想がせこいんだ。一般の人を相手にしゃべるときでも、ぼくは宇宙の話を地上に引き下ろしたみたいな話をする。エネルギーを使ったらなくなるでしょ、星だって同じですってね」

「……そうなんですか？」

「そうだよ。宇宙を考えるとき、エネルギーの話は大事なことです。太陽も夜空の星も正体は同じで、原爆が爆発しているのと似たような状態が星の真ん中に年がら年中あるんだ。放射線がもれないように、ブワーッとまわりから物質で押さえ込んでいるんです。その物質が放射線を吸収して、ほてって真っ赤に光っている。これが太陽、あるいは星の姿です」

「星は生まれては死に、また生まれる。これが宇宙の輪廻であるといわれます。そしてこれが永遠に続くのだと」

「永遠には続きません。光るエネルギーをつくる燃料が切れるから、光る星はいずれなくなります。地球の資源を使えば枯渇するのと同じで、宇宙も勘定が合うようにできているんだ。いま光る星があるのは、輝きはじめてまだ間もないからです。これはつまり、現在のような星が輝く宇宙には、はじまりがあることの一番確かな証拠です」

先生がちょっと笑った。

「市民講座の主催者に、宇宙と関係ない話題はやめてください、と文句をいわれたことがあるよ。電気代がどうみたいな話ばかりするから」

私も笑った。

「市民講座でぼくがわざとそんな話をするのはね、宇宙に逃げたいという人が多いからなんだ。知的な意味でも、地上の話はあきあきだとね。しかし科学は、地上の実験室でわかったことで宇宙を読み解くのです。宇宙に特別の法則があるわけじゃない。地上ではエネルギーを使ったら必ずなくなるけど、宇宙ではなくならないなんて、そんなことはないんです。だが多くの人は、そんなせこい発想をしなくてもいい場所が、宇宙だと思っている」

こっちでは起きないことが、あっちでは起きるみたいに。

「宇宙物理は、宇宙を地上化したことで成功したんです。地上でわかったことで宇宙を読み解くことで、元素の起源や星の誕生が説明できた。宇宙独特のことなど、どうもなさそうだとね。もちろん、これが最後まで成功するかどうかはわからないが、ぼくはそれをハッピーにやってきた。そんなぼくに、宇宙でしか起きないようなロマンチックな話を期待して聞きにきた人は、カチンとくるらしい。ぼくが公共的な役割を果たせるとしたら、そういう世の中の感覚を直したいという感じやね」

公共的な役割？

「ぼくは、何かにひ、た、る、という人間が嫌いなんだ。ぼくには、世間の役に立ちたいとか人類に資したいとか、男一匹みたいなところがあるんや。むかしのエリートは、みんなぼくみたいな人間だったと思う。しかし戦後の高度成長期を経て、そういう人間がいかに下品かと世間から評価されて、この世からいなくなったんだろうね。ぼくは生き残りですよ」

私は思わず微笑んだ。

「人間、偉いとはどういうことか。ぼくはこれをいまでもいっているからね」

「偉い、ですか？」

「そう。偉い、ですよ」

先生は身を乗り出し、語気を強めた。

「むかしの若者は、偉くなりたいと思ったものです。パブリックな役目を負うということです。何かにひたったり自分の好きなことばかりを追うのではなく、ちょっと世の中のことを考えなさいよといいたいね」

はじめて先生に会ったときから、話の端々に政治についての言葉が出てくることに意外な感じを抱いていた。宇宙の学者というのは、浮世離れしているものだと思っていたからだ。

「ぼくと同世代の学者には、こんな人が多いと思います。ひと時代前のスピリッツで涵養されているからね」

「わかる気がします」。先生と同年代の人たちを何人か思い浮かべてそういった。

「なんというかね……その時代その時代で、社会的にアンビシャスな、野心的な人間がどこに集まるかということだね。ぼくらの時代は、科学に集めすぎたんだな。ぼくは当時のいちばん輝けるところに行きたいと思ったんだ。世の中に役立ちたいとか、世の中を動かしたいという気持ちでね」

ええ、わかります、と私は心の中でいった。私もこの世界に入ろうと思ったのは、書くことで何かを動かしたいと思ったからだ。

「これまでも本に書いたけれど、ぼくらの時代はそれが原子力だった。その専門性で、たまたま宇宙へとシフトしていったんだ。べつに宇宙が好きだったわけじゃない」

先生の本には、たびたび「顕微鏡で宇宙を見る」というフレーズが登場する。顕微鏡とは、原子の世界の探求を象徴的にいったものだ。先生がやってきた学問は、原子より小さいミクロの物質の研究を、宇宙に応用した学問だ。私はこれまで、宇宙を研究する人イコール天文学者だと思っていたのである。宇宙の研究とは、天体を望遠鏡で観測することなのだと。だが佐藤先生の肩書は、宇宙物理学者とか理論物理学者と書かれている。その訳がようやくわかった。

「原子や素粒子の仕組みや働きを知るには、個別の観測や実験をもとに、より一般的な法則を予想し、理論を立てることが重要です。なかでも物理は、法則性をさまざまな方程式で書き表すといった、理論と数式で解き明かしていく行為が欠かせない。これが「理論物理学」なんだ」

顕微鏡で宇宙を見るという言葉には、物理学で科学の最前線を切り拓いてきた自負が現れているのだと思った。

「ぼくにとって宇宙は単にネタなんだ。「宇宙はロマンです」なんてねぼけたことをいうな、という男です、ぼくは」

思わず笑ってしまった。

「しかし、ぼくが京大を退官するあたりになると、学生の質は明らかに変わってきたねえ。むしろ世間から逃げてきた人が多くなってきた。ぼくの研究室にも、そういう若者がときどきいたね。難しそうな宇宙論に、ロマンを求めて逃げ込んでくる。世間は厳しいからね。ぼくはそんな学生は取らんようにした。しかし社会から見れば、ロマンチックに見えるんやね」

「私もそう思っていました」。正直にいった。

「少なくとも責任を迫られない学問だと思われている。たしかに、ひ、た、る、気持ちをあおる宇宙論を展開する科学者も最近はいるな。そんなの、むしろ傷つけてしまうと思うがね。ぼくはしょっぱなから違うんです。単純な人間です、田舎者なんですよ。何かで人の役に立って、尊敬され偉くなりたいという気持ちが土台です。しかし日本も経済状態が世界一よくなると、そんな田舎っぽいあこがれから、根源を探すようなソフィステイケイテッドされた志向に変わってくるんだろう」

そういえば著書に書いてあった。「近年、若い人たちに科学の魅力が語られるとき、人間としての社会的関わり方や科学者の使命といったことをあまりにもいわなくなった」と。知的好奇心とか、ロマンとか自在奔放という動機ばかりがいわれて、科学の公共性というものがまったく出てこないと。

「ぼくらの時代は、学者や専門家という人種には社会を背負っている自負と責任感があったものです。学ぶことは生きることだったんだ」

叱られてばかりいるが、なぜかすがすがしい気分だった。先生はといえば、頬杖をついて何か考えている。

あのう、もともとお尋ねしたかった、宇宙と人間の生死についてなのですが……と遠慮がちに聞いた。

「ああ……まとめようがないね、ぼくの話は」

われに帰ったように、少し申し訳なさそうに笑った。

「宇宙について科学的に解明されることは、われわれに何をもたらすのでしょう。どこまで解明されても、太陽や月、あるいは宇宙の宗教的な意味合いはなくならないとも感じます」

「うん、そうだと思うよ。人間はもよおすんだよ、何をいわれたって」

もよおす？

「わざと下品な言葉を使いたいんだが、小便をもよおすみたいに、ほうっておいたって何かに気持ちは高ぶるんです」

歴史上に起こったさまざまな悲劇も、そういう気持ちの高ぶりが作用したものだと、先生はいった。

「いま量子力学の本を書いていてね、そこでぼくはキシンについて取り上げている」

キシン？

「鬼神と書く」

それは何ですか？

「論語のキーワードの一つで、デーモンかつゴッドみたいな超越的なものです。「鬼神を語らず」というのが論語のスタンスなんだ」

論語ですか……。

「鬼神を語らず、敬して語らず、という教えです。敬え、しかし遠ざけろと。考えても答えが出ないものは、そっとしておくのです。あるとかないとか語らずに、どっちでもいいというまま推移しなさいということです」

そんなふうにものごとを考えたことがなかった。

「どっちみち人間はワクワクするんです。しかし、努力して冷静さを習性にしていきなさいという教えです。ぼくは、人が寄り添って生きているんだから、好き勝手にしたらいかんで、という気持ちが強いね」

「それが、先生のいう「公共的であれ」ということですか？」

「そうです。ローマ帝国のネロがキリスト教を禁止したとき、自説を曲げずにはりつけになることを選んだ人がいますね。そういう態度をああ素晴らしいと称賛する人もいれば、みんながそんなことやってたら世の中くたびれるよね、と思う人もいる。貫くのは美談かもしれん。しかし、九割がそうなったらどうですか？　世界を見ると、超越的な存在に一身をささげて没我し、あげくに自爆してしまう歴史がある。これは悲劇です。

すべきでない。しかし、それを応援する精神がある。ぼくは、そんな気持ちにさせることに反対です。だって、人は生きていかないといかんのだもの」

人は生きていかないといけない——先生の言葉が、おもりがついたように体に沈んだ。

「死の問題は、鬼神なんです。ぼくは鬼神語らずというスタンスが好きなんです。ぼくは科学でも「根源」を語らないほうがいいという立場です。パブリックな場ではね」

パブリックな場とは？

「そのことによってお金をもらっている立場です。品よくいえば、科学という専門性で生きている立場としてです。そうした人たちが相互チェックしてわかった科学の成果を、誰かが漫画のネタにして、これが宇宙の根源だみたいに間違って使っても、禁止できないし自由にやればいいでしょう。でもそれを、サイエンスで月給をもらっている人がやってはいけない」

「あのね、もよおすことの対極にあるのが合理性です。冷静といい換えてもいい。そして合理性とは科学の精神です」

合理性……？

「合理性の出発点は、1＋1＝2ということです。これはなんというかねえ……」

先生は言葉を探す。

「1+1は何で2なの？　というところから考えることもできるが、これは芸術作品みたいなものです」

芸術作品？

「そうです。科学は第三の世界の所産です。科学も芸術作品と同じなのです。だから立派なんだと思う。科学はどこからか拾ってきたものではないんだよ」

科学が人間の作品……？

「根源みたいなものを拾ってきてありがたがるか、人間がクリエイトしたミケランジェロの作品を素晴らしいと思うか。自然食を自然だからといってありがたがるか、いや何千年の文化の手が入っている料理をさすがやと思うか。人によって違うでしょう。ぼくはいずれも完全に後者です。人間の素晴らしさをわれわれは積み上げている。科学もそうして積み上げたものです」

「人間が築き上げた知恵ということですか」

「そう。1+1=2と決めて、これをいろんなことに広げていくのが合理性ということだと、ぼくは思う。だって、「私はそういう気持ちがしないんだ。1+1=4にしたい」と、てんで勝手にいい出したら、世の中動かせなくなります。科学の知識は、気持ちが高ぶったりしゅんとなったりする人間の非合理な部分をゼロにはできないけれど、できるだけ減らしていくことを心がけているのだと思う。この合理性の精神で、世の中をラミネートすべきと思うね」

ラミネート？

「整流です。死の問題はみんな考えるんです。だがそれをワーッとあおるのか、乱れた流れを整えて鎮める努力をするのか。人びとが肩寄せ合って生きていくために、起き上がるパッションを劇場や祭りでコントロールしてきたわけです。もよおしてくるものを合理的に避けるために、第三の実在を人間はいろいろ工夫してつくってきたのだと思う」

合理性なんて、人の気持ちとは対極にあるような感じがする。

「理性に基づいてパブリックな社会をマネージする仕方も、第三の世界に蓄えられた力だと思うね。その一つが、たとえば民主主義という合理的なシステムでしょう」

少しわかってきた気がした。

「ぼくは前に、宗教学者の中村元（なかむらはじめ）と対談した。このとき中村さんはこんな話をした。人に矢があたったのを見た賢い人たちが、矢はどこから飛んできたかを議論し出した。そのときブッダは、まず矢を抜けといった、と。それに引っかけるとね」

と、私をちらっと見て話し出した。

「ここに直径一五センチの頭があったとする。それを真っ二つに割ったとする。集まってきた人の反応はいろいろです。犯人はだれだという人もいる。ある人は一一〇番をするし、頭を押さえて出血を止めようとする人もいる。数学者は「一五センチを半分に割ったから七・五センチになる」という。このように、あることが起こったときに何を考えるかは、人によってものすごく違う」

大事なのは、まず出血を止めることですよね、ブッダの教えがまっとうですよね、と、口には出さずに先生を見た。

「一五センチの半分なら七・五だという精神が、ぼくらのような専門性の精神です。他のことを見ない」

え？

「天体がどう動くかは、万有引力で説明する。このとき、その天体がどんなものかはしばらく置いておく。万有引力というのは、どんなものであろうとも同じ力が働くということです。天体が何からできているかに関心をもつ必要がない」

「人が住んでいるからとか、水があるからなどと考えなくてよい、と？」

「そうです。しかし、それがどうでもいいかといえば、そうではない。視点を変えれば、どう動くかよりももっと興味があることです」

これが七・五センチの話と、どう関係するのだろう。

「一五センチの頭を割ったら七・五センチだという答えも嘘じゃない。でも、頭を真っ二つにしたことで生じている事態に対して、答えているわけではない」

「ある一つに答えているだけ、ですね」

「そう。一五を二つに割ったら七・五です。だけど、血がだらだら流れていることに目が行き出したら、七・五だという人はきっといない」

それがふつうの人間感覚だ。

「しかし、みんながワーッとなるときに、七・五だという人が必要なんですよ。それがそれぞれの専門性です。専門性は、人間が本来的にもよおすものではない。しかしそれを鍛えて……鍛えるというのが好きだけど……そういう見方でものを見る人が必要なんです」

このたとえをそのまま受け取れば、合理性とは何と冷たいものだろう。先生が何をいいたいのか、やっぱりまだわからない。

先生の話を整理できないまま、「私が知りたいのは……」と、もごもごいった。

「先生のこれまでの人生、それはほぼ宇宙物理の研究者としての人生だと思いますが、そうした人生を経てきて、死ぬことや生きることをどうとらえておられるかを聞きたいのです。人間がこの宇宙に生まれてきたことを、どのように考えているのかを」

「うんうん」と、遠慮しなくていいよとでもいうように先生がうなずく。

「何の根拠もないんだから、無意味なことはできるだけ考えないようにしようという態度です」

「根拠がないとは？」

「なんで私がいるんだろうなんて、根拠がないじゃない。宇宙のグランドデザインがあるわけでもないし」

「そうなんですか？」

と、思わず尋ねた。

「この宇宙に人間という生き物が生まれてきたのは、あまりにも天文学的な確率の積み重ねだといいます。だから、宇宙の研究者の中にも、宇宙は人間が生まれるようにデザインされていると考える人もいますね」

「ぼくはそれには大反対。宇宙の成り立ちを研究していくと、人間は偶然誕生したものにすぎず、何のお墨つきもなく、誰にもケアされることなく、けなげにやってきたものだという感じを私はもっている。誰も何者も、人間が誕生するようにデザインしたわけではないのです」

「とはいえ、生命が誕生したのはものすごく奇跡的な確率ですね」

「そりゃあそうですね」

「すると、そこに意味はないのですか？　想像を絶する時間を経て宇宙がいまの姿になり、その果てに生命が誕生したのでしょう？　やっぱり、私たちはこの宇宙に生まれるべくして生まれてきたのではないですか」

「偶然でしょう。夜空に見える星はすべて太陽みたいなもので、周りに惑星がありま す。でも、大部分の惑星には生命はいないと思いますね。しかし地球では、生命ができる条件が偶然そろったんだ」

「条件、そして偶然、ですか？」

「ええ。恒星の温度とか恒星からの距離とか、たまたま生命が誕生する条件が偶然そろっただけのことです。宇宙の中にあるすべての銀河は、それぞれ条件がちょっとずつ違っている。だから、そのさまざまなちょっとずつ違う条件の中の一つが、生命の誕生に合っていただけ。何の理屈もない。理屈がないから数打ちゃ当たったんだ」

「宇宙の本に「人間原理」という言葉が出てきます。人間を中心として宇宙を考える立場らしいですが、先生はそうではないと？」

「うん。ぼくはむしろ、非常に専門的に「人間原理」を使うべきだと思っている。人間という、吹けば飛ぶような存在が、なぜいま存在しているかという意味で、人間原理という概念を使うべき」

どういうことだろう。

「たとえば昔、炭鉱にカナリアを連れて入った。炭鉱にたまっているガスを検出する目的です。カナリアははかない存在で、人間が気づかないほどのガスがあるだけでもフラッと逝っちゃう」

聞いたことがある。

「宇宙的にみると、人間はカナリアみたいなか弱いもの。ちょっとした加減で生まれたし、ちょっとしたことで途絶えてしまう。そんなはかない存在がいまいるというそのことから、サイエンティフィックにいろんなことがわかるのです」

「たとえば？」

「生き物を構成している元素は、ほとんどが炭素です。元素は宇宙が進化する過程で軽いものから順々につくられていったが、炭素のできかたがうまく説明できなかった。しかし炭素ができるためには、その原子核がこういう性質をもっているはずだと予測して、実験したらピタッと合った。こんなふうに人間から逆算的に考えることで、宇宙の進化のある部分が解明されたことがある」

人間を材料にして宇宙を知ることができる、という意味だ。

「人間は尊い存在だから、その原理を探ろうというのではなく、どうでもいいくらいなものが存在している事実から、サイエンスのプロセスがむしろ細かくわかる。これが私の人間原理」

人間を宇宙の必然的存在と考えるのとは逆だ。

「超越的な存在が宇宙を設計して、人間に居心地のいい特別あつらえの宇宙を創造したとは思わないね。宇宙の研究をしていると、一番上等な人間になったみたいに思う研究者がいるが、世間に対して恥ずかしいよ、ぼくは」

「それとね、ぼくは研究者という言葉が嫌いでね」

え？

「研究というと、調べて歩くだけみたいなイメージだから。研究者と聞いて偉いなあとは思わないんだ。偉いという言葉は大好きやけど」

研究者は英語でリサーチャー(researcher)である。

「日本では科学者イコール研究者とよんで、特別なオーラを発する職業みたいに思われるが、まったくのまやかしです。もともとオックスフォードやケンブリッジではそういう人間を育てようとはしなかった」

先生は最近出した『職業としての科学』でこう書いていた。科学者の育成に出遅れた一九世紀のイギリスで、オックスフォード大学やケンブリッジ大学が目指していた学問は、社会を啓蒙する合理性を土台にした〝知〟である。技術の専門家を養成しようとしたのではなく、そうした専門家を使うエリートを養成しようとしたのだと。

いまエリートと聞くと、独占的な特権階級のイメージがつきまとうが、本来エリートに求められているのは頭脳と高い精神性だ。先生が自負するのは、おそらくこうした科学者像ではないか。

「それに研究ってのは、ある意味不健康な商売です。朝から晩まで研究ばかりしていたらもちません。だからぼくは、精神衛生のために積極的にいろんな雑用をしました」

先生は若いころから、さまざまなことに首を突っ込んでいる。もらった名刺の裏にも、いまも関わっている機関の名前がいくつも並んでいた。

「次の世代のためになると思うことには、ずいぶん関わってきたね。人間が肩寄せ合って生きていける場所が、社会的に必要だと思っていたから。まあ、こんなに多くはいらんかもしれんが」と笑った。

「ぼくは、研究だけをしてきたような単純な人生ではないです。研究ばかりしていたら、考え方が固定してきます。会社人間みたいになってくる」

「研究者と会社人間って、両極にあるように思っていました」

「いや、いっしょです。そのことしか考えられない人間になってくる。組織を離れては生きられなくなってくる」

なるほど。

「さっきぼくは、科学は社会をラミネートする役割を担うといったが、最近はむしろ予算を取るために、気持ちをわざと盛り上げることをやっている。そういうことは品がないという感性がなくなっているね。いまは、お金、お金。お金はこわいね。科学にとっての落とし穴です」

先生は険しい顔つきになった。

「ぼくらが若いとき、学者はみんな反体制的だった。しかしこのあいだ、ああ、おそろしい世の中になったもんだと思ったよ」

なんのことだろう。

「事業仕分けで科学予算を削れといわれた文科省が、危機感を抱いて全国の学者に声をかけたんだ。予算削減に反対するパブリックコメントを官邸に出してほしいとね。すると何万と集まったんだよ」

それは……。

「むかし、文部省が声をかけたら何万の学者が聞いたか？　聞きませんよ。完全に組織人間になっている。組織的に動かないことが、自由であることだったのに、メール一本で役人のいうがままに動く人間の集団になってしまった。そりゃ、お金を削られるのは大変です。しかし自由のほうを選ばないのか」

私は思わず背筋を伸ばした。

「これは、日本の科学がエスタブリッシュしたからです」

「権威になったと？」

「そうです。批判精神も何もない。上からかかった号令で一斉に動くなんて」

「でも、世論も科学予算の削減には反対だったと思いますが」

「うん。本人たちも予算削減は国の危機だと、国民になり代わって一所懸命やっているんだといいます。しかしね、研究に必要なのはお金だけか？　むしろ精神の自由だと思うがね」

厳しい視線に、私はちょっとドキドキした。


窓の外はすっかり日が暮れていた。

先生はたぶん、質問の一つひとつに答えを返してはくれた。しかし私は、聞きたいことが聞けていないと思っていた。

岸本英夫という宗教学者ががんを患い、死への恐怖と必死に闘った記録を『死を見つめる心』という本に残している。死は肉体的な生命の終わりだが、生きているときにあった「この自分」というものの意識は死後どうなるのか。それを集中して考える彼の前に、死の暗闇が大きな口を開けて迫り、その恐怖に打ち勝とうともがく。

「もういちどお聞きしたいのです。人間は誰しも、死んだら無になることが受け入れられないのです。何を頼りに死ねばいいのか、と。そこで、その気持ちを鎮めてくれる心の支えや頼りがほしいのです。だから、天空の向こうにあの世があるんじゃないか、あるいは宇宙が転生輪廻をつかさどっているんじゃないか。そんな期待を抱き、その証拠を探したくなるんです」

「みんな思うんだよ。もよおすんだよ」

いかにも気持ちがわき上がるように両手を大きくあおり、語気を強めた。さっきからいっていることがまだわからないのかね、とでもいうように。

「しかしそのことに価値はない。そのことに身を任せていいのか」

「でも、死んだらおしまいというのが嫌なんです」。私は踏ん張った。

「だけど、おしまいだもんな」

先生はあっさりいった。

「しかし、それでは人間おさまらないのはわかる。死に気持ちが動くのはわかる。だけどそのことにひたるな、自分自身をコントロールできるようになりなさい、というじつにおもしろくない価値観ですよ、ぼくは。社会人になりなさい、ということのほうが大事やと思う」

苛立ちを抑えられないかのように、先生は言葉を投げた。

「思いますよ、私だって。夜寝られないことだって」

思わず先生を見たが、何事もなく話は流れていく。

「だが冷静に考えたら、そのことに意味はないと自分でもわかるんです。もよおしたとき、どこにもどるか。やっぱり1＋1＝2だねえと、こうしてこうしてこうなると合理的に考えてみると、ああ馬鹿げてると気づくことがあります。死にひたって、青い鳥を探すみたいに根源を探したって、そんなものはないんだよ。考えても仕方のないことを考えて科学にすがるより、明日からどうやって仕事をするかを考えようと思うことが大事です」

私はどんな顔をしていたのだろう。

「考えるなといわれれば、より考えるんだから」

と先生は仕方なさそうに笑った。

「それなら、その気持ちをどう処理するかを考えなきゃ。死を受け入れるために、人類はこれまでいろんなやり方をしてきたんだと思うよ。芸術だったり文学だったり宗教だったり、社会的な政策であったりね。どうしても起こってくる気持ちの高ぶりをどう冷ますかという、公共政策的なものだと思うんだけどね、死の問題は」

そんなこと考えてないで早いこと寝なさい、と親に叱られているみたいだった。

「なのに、宇宙の根源とか、宇宙に生まれてきた必然性は、といい出して死に結びつけるのは、さらに病気を悪化させるようなものです。心をもてあそぶ、いちばん嫌なやり方だ」

そうですか……。私の困った顔を見てとったのか、

「たぶんぼくは、あなたから見ていちばん嫌いな男だと思うね」

と屈託がない。

「こんな男つかまえて、あなた何か引き出せるの？　「ヤバイのつかまえちまったよ」と思っているかもしれんね」

私は噴き出した。

「そんなこと、ないです」

「自分でいうのもおかしいけど、ぼく、最近ちょっと過激です。人生ここまで生きてきたからね」

何時間たっただろう。長い時間申し訳ありませんと謝った。もううんざりかもしれないな。

またお目にかかりたいのですが……。先生は黙って笑っている。店の玄関まで送ろうと、あとを歩いた。

先生はドアを開け、帽子を手に振り返った。「じゃあ、また」。そういうなり「あ、ぼくがいっちゃった」と可笑しそうに笑った。私は深く頭を下げた。

はやぶさ旋風とビッグバン

宇宙に関係した言葉は，対象としても，人びととの関わりでも，人間にとっての意味においてもまちまちである．「はやぶさ」で感動した多くの人がみた宇宙は，どんな宇宙だろう．　　　　　　　　　　　(画：佐藤文隆)

第3章　私たちはどこから来たのか?

科学の世界が、包装紙をあちこちちょっとずつ破るみたいに、少しずつ見えてきた。

私は、科学を背景にした死を話してほしいと先生に会った。でも、死のことなんか考えても仕方ないと叱られる。ならば、先生がそう思う理由を、そう思う背後にある世界観を、もっと聞きたかった。

しかし、このままでは取りつく島がない。ともかく、先生がこれまでやってきた学問をもっと知ろう。そこで、先生の著書をもう一度読み直し、専門的な題名ゆえに敬遠していた著書も手に取った。だがこの作業を進めるほどに、先生はますます遠くなっていった。なんて無謀なことをはじめてしまったのだろう。いろんなものが中途半端なまま散らかって、どこから片づけていいかわからない。

私は途方に暮れたまま迷路をさまよい続けていたが、胸の奥には一つのフレーズがぽつんと灯っていた。「人間はけなげな存在である」。

この言葉の後ろに先生のどんな「学問的実感」があるのか、まだよくわからない。だけど、私はこの言葉を勝手にもらおうと思った。

このころ私の身辺には、いくつかの気の晴れないことがあった。気持ちが通じなかったり、思いどおりにことが運ばなかったりと、気の重い日が続いていた。でもこの言葉を思い浮かべると、おおらかで温かい気持ちになった。私も人もけなげに生きているのだ、と。

そして忘れられないように、たまにメールを送った。ご機嫌うかがいのようなものである。私はつい言葉が多くなるが、反応はめったにない。たまに、何かの折に書いたらしい文章が添付されてくる。

会ったときの先生は気さくだが、メールは実に素っ気ない。ごちゃごちゃいわない、という感じである。私はメールが来ると緊張し、中を開いて何事もないことだとほっとする。

こうして先生の話を整理し、周辺知識の取り込みに悪戦苦闘しているうちに、外の寒さが緩んできた。

そして三月一一日の大震災と原発事故。現実にこんなことが起こるのだ。世界の象(かたち)は暗転した。

何も手につかない毎日が続き、私は無性に先生の話を聞きたかった。先生がどう考えているか、知りたかった。そんなとき、新聞で先生の文章を目にした。それは、私たちを恐怖に陥れている放射線が宇宙の進化と密接なかかわりがあることを述べたうえで、次のように書かれていた。

「宇宙の大きな仕組みの襞（ひだ）に這いつくばって進化してきた人類の、自然の中での身の置き方を考えさせられる」

このとき、前に先生がいった言葉がふとよみがえった。「人間は生きていかないといけない」。自分でもそれが何かわからないけれど、言葉にできないものが静かに満ちてくるような気がした。

五月に入って、そろそろ先生に会いたくなった。

でもこの前私は、先生をずいぶんがっかりさせてしまった。どうしたらまた会ってもらえるだろう。考えた挙句、先生が話してくれたことと私が理解したことをまとめてレポートに綴り、会いたいという言葉を添えたメールを書いた。だが、下書きフォルダーに入れたままなかなか送れない。三日四日と先延ばしして、最後は「ままよ」と送信した。

翌日、返信が届いた。読むのがこわい。しばらく画面を見つめていたが、覚悟して開いた。

「ずいぶんがんばって書きましたね！　来月にでも会いましょう」

心が震えた。

京大前の進々堂で会うことになっていた。

梅雨の晴れ間の午後、店内はいっぱいで、人いきれで蒸し暑い。大丈夫かしら。先生は風邪をこじらせて、いったん約束した日を今日に延ばしたのだ。

しばらくすると、先生が入口の人混みを抜けてきた。

「平安神宮から歩いてきたんだよ。今日も体力のお試しセットをやってみたら歩けたから、ちょっと自信をもった」

ふふっと先生が笑う。お元気そうでよかったです。

この前お目にかかったときはコートが必要でしたのに、もう暑くなってしまいました。この間、先生の本を何冊も手にしましたが、読んでも読んでも追いつきません。時間がかかってしまったことへのいい訳をしながら、弱音を吐いた。

「ああ、震災もあったからね。世の中変わっちゃって」

私はへたなことがいえなくて、次の言葉を待った。

「もろもろのことが科学技術の失敗みたいな話になっているけれど、ぼくはもっと根本的な問題だと思う。科学というものが、根本から変わってきているんですよ、世界的にね。ぼくが身を置いてきた基礎科学の世界も、ぼくが過ごしてきた二〇世紀後半とは違うものがはじまるんだ、これからは」

冷たいコーヒーを一口飲むと、先生はやっと落ち着いたように話しはじめた。

「さて、あなたは「死」をどう考えればよいかと思った。そして、宇宙を考えている人は、ふつうの人が測り知れないようなことを語るかもしれないと思って、ぼくの所にやってきた」

たぶん、そうだ。

「しかし、ぼくは原子力にあこがれて大学に入った」

学問の出発点が原子力へのあこがれだったことを、いままでと変わらず淡々と口にした。

「原子力は、当時の野心ある若者を「これこそが志すべきものだ」と惹きつけた、人類のフロンティアを開拓する夢の科学だったのです。ぼくの場合は、それが宇宙にスライドしていった。宇宙に関する新しい発見がつぎつぎ展開して、それはワクワクして面白かったからね。この時代は物質とか素粒子の研究が進んで、相対性理論との関係でぼくも夢中になった。宇宙そのものを探求したかったわけじゃないし、あまつさえロマンを感じたわけじゃない」

前もそう聞きました。

「そういう道を経てきたぼくと、あなたが遠くからぼくを見て期待していたこととのギャップが、一種の学問論だな。学問は何のためにあるのか、というね」

学問論……？　いきなり出てきた言葉に当惑したが、先生はかまわず続けた。

「まずは、あなたが知りたがっていることを片づけよう」

「宇宙のはじまりの解明と、物質のもとである素粒子の研究とは、深い関係にあるらしいですね。その話をしてください」

この宇宙に存在するすべてのものは、素粒子という粒からできているらしい。つまり私たちも、もとをたどれば素粒子に還元されるということだ。では、素粒子とは何なのか？　これを知ることで、死や生の謎につながる糸口が得られないかと思ったのだ。この前は似たような質問をして叱られたけれど、今日は話してくれそうな気がした。

「「物質がある」とは、ひじょうに漠然としたいい方やね。古代ギリシャの時代から、物質とは何かが重要なテーマだった」

「ボールも物質ですね。太陽も水も人の体も「物質」といってよいのですね？」

「うん。そうしたものを、ぼくらはマクロな物質とよんでいる。このマクロな物質を細かく見ると、九十何種の元素に分類できて、みな原子からできている」

むかし世界史で習った。紀元前の古代ギリシャの哲学者デモクリトスは、物質のもとは最小単位の「原子」だと考えたらしい。

「物質を、それ以上に分けられない小さな粒の集団だと見る考えはそのころからあったが、さらに小さい素粒子からできているとわかってきたのが二〇世紀です。原子と原子核と素粒子はミクロの世界のグループで、これらは大きさもふるまいもそう極端に違うものじゃない」

原子は、陽子と中性子が結合した原子核と、その周りを回る電子で構成された、微小な物質だ。

「日常の現象のすべては、原子と原子の結びつきが変化する化学反応です。原子同士を結びつけるのは電子の働きで、原子核そのものは変化しない。ハイテク技術も、まわりの電子を操ることによって成り立っている。こっちの電子をあっちの電子に移すという技術です。物質は、基本的には電子がもつ電気の作用で成り立っているんだ」

先生はおもむろにカップを手に持った。

「こうして物をつかまえると、私の手はここで止まる。カップと交わらない」

私は妙な気になった。

「当たり前やと思うだろう。しかし、なぜ交わらないのかと考えてみる」

先生は真面目な顔で続ける。

「なぜなら、カップに手を近づけたとき電気的に押し返すように反発しているからです。だから手とカップは交わらない。二つの原子が交わらないのは、電子と電子が電気的に反発するからです」

そういうことだったのか。

「原子がつぶれないのも電子の電気力のおかげだし、原子がくっつくのも同じ力です。ぼくたちの体だって、原子の電気力がなくなれば、バラバラーッとなりますよ。光も電気の作用です。電子の状態が変わることによって、光を出したり吸収したりしているわけ。音も、空気を構成する原子が動く作用、つまり原子がほかの原子にぶち当たって伝わるものです。こんなふうに、光の強さや物質のかたさはぜんぶ、電気的な作用で成り立っている」

「次に素粒子の話です。物質の最小単位と考えられるものを、素粒子といっている。陽子も中性子もさらに分解できて、それぞれ三個のクォークという素粒子から成り立っている。電子はこれ自身が最小で分解できないから、素粒子です」

それ以上分解できないものを、素粒子とよぶのだ。

「では、重要なのは素粒子は粒子ではないことです」

「素粒子は粒子ではない？」

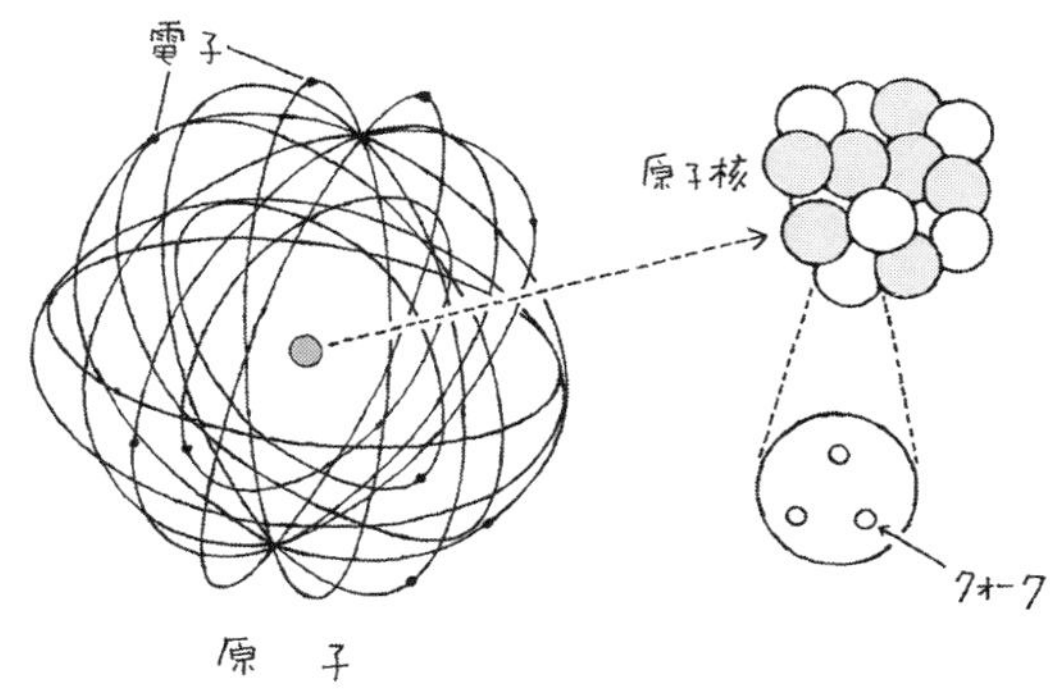

「うん。コロンとした大きさがあるものではないのです。朝永(ともなが)振一郎もいっぱい書いている。素粒子は粒子でないという随筆をね。いっぱい書いてみんなを教育しようとしたが、みんな粒子だと思っている」

朝永振一郎は湯川秀樹と同級生で、湯川に次いで日本で二番目のノーベル賞受賞者である。

「彼は、素粒子は電光掲示板みたいなものだといっている。電光掲示板は、電球は動かないが、それらが点滅することで光る点が動くように見えるでしょ。素粒子が動くとは、そういうものだといっているんだ」

もともと何かがあって、光ったり光らなかったりするのと同じなのだと先生はいった。

「真空というものが、あらかじめ置いてある場があるのです。この場のどこかがひょこっと動く。これを励起といって、水が波立つようにヒューーッと山になり、山が移動していくんだ。この現象が10のマイナス23乗秒という速さで起こるから、われわれは粒子がさーっと動くと錯覚する」

「あのう」と、わたしはそろりと尋ねた。「真空も何かの「もの」なんですか？」

「ああ、真空にもいろいろあるんだ。しかしこの話はあとにしよう。いまは素粒子の話をしてしまおう」

はい、と私は姿勢をととのえた。

「素粒子を粒だと思ってしまうのは、そのエネルギーが一つ、二つと数えられるからです。ここに素粒子がいくつかあって、エネルギーの値を計算すると、必ず整数になるのです。ここに素粒子がいくつかあって、エネルギーには最小の単位があって、一倍、二倍、三倍になる。一・五倍なんてのはない。となると、あたかも粒が一個、二個とあるというのといっしょでしょ」

私は混乱した。「ええっと、素粒子がエネルギーの最小単位なのですか？」

「いや違う。素粒子はそれ以上分解できない、物質の最小単位。いっぽう、素粒子がもつエネルギーは整数で数えられるということ」

先生は言葉をうろつかせながら、なんとか私にわかる言葉を探そうとしていた。

「目隠しした人が、米粒の山の前に立った。目方が一〇〇だったものが、ある量を取り除いて七五に減った。さらにもうちょっと取った。すると七〇になった。いくらやっても小数が出てこないから、目隠しした人は、つぶつぶのものがあると思ってしまう」

「ええ」

「でも、そうではない。エネルギーが米粒みたいにカタンカタンと減るのです。カタンカタンと変わって、そのあいだがないんだ。つまりエネルギーはつぶつぶの集まりなんだ」

素粒子がもっているエネルギーは、一個二個とデジタルで数えるが、素粒子そのものはデジタルではない、ということらしい。素粒子とはいったいどんな形をしているのだろう。私のわからなさを察したように、先生は説明し直す。

「素粒子の「粒子」という言葉は、場所的に固まっているイメージをもたせるよね」

「ええ。米粒のように、あるいは紙の上に小さな点を打つように、ある場所を占めているのだと思います」。私は、自分にいい聞かせるようにゆっくり答えた。

「それが違う。固まっていないんだから」

「じゃあ、どんなふうに存在しているのですか」

「空間に広がって存在しているのです。素粒子の重さや電荷の値を集めたら、必ず三個とか四個と整数でいえるから、粒子といういい方をしているが、素粒子そのものは固まっているわけではない。だから、まじまじとこう描くのはよろしくない」

先生は、むかしの教科書で見かける原子の構造図を描いた。まん中に原子核があって、周りを丸い電子が回っている絵だ。

「電子は素粒子です。しかしこんなふうに粒として描いてしまうと、ここですか、それともここですか、グルグル移動しているんですか、右回りですか左回りですかと、いろんな疑問が登場する。しかし素粒子はある場所を占めるものではないから、電子が軌道上のここにある、とはいえんのです」

こんどは小さな丸を一つ二つと描きながらいった。

「顕微鏡で見たって、こんなふうに見えるものではない。だけどいつまでたっても、粒として描いてしまう」

「どうしても描きたくなるんです。イメージが描けてはじめて理解できるんです」

「あなたのいい分はわかるが、これは慣れるしかない。修行です」

物理学者は、イメージできなくても平気なのか。

「化学の本には、雲みたいに広がっていると書かれています」

「そういう理解でよろしい。場所的にボワンと広がっているようなもので、だから波というい方をする」

広がっているといわれると、波というより雲や霧みたいな感じがする。でも、雲や霧は水の粒の集まりだ。波といわれてもイメージがつかみにくい。

「厳密にいうと、素粒子は粒でもなく波でもないんだ。粒的に見えるときと波的に見えるときがあるだけです。粒も波も人間が用意したイメージでしょ。自然はそんなこと

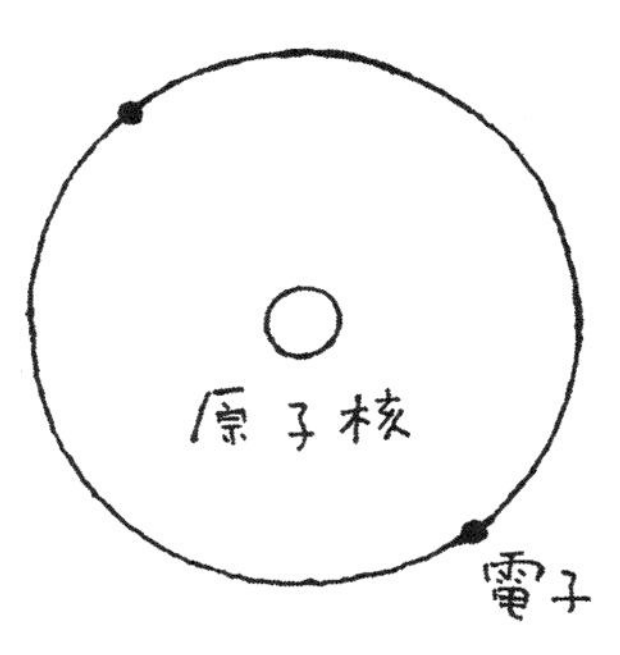

は知ったこっちゃないんだ。人間のために自然があるわけじゃない」

「じゃあどんなイメージを描けばいいのですか?」

「描けないんだよ」

「それじゃ気持ち悪いんです」

「しょうがないね。だったらあるときは粒、あるときは波みたいなものだと思っておきなさい。ともかく、粒か粒ではないかと悩むのはよしたほうがいいんだ」

「でも……」

「こうじゃなきゃならんと思わず、柔軟に考えておくほうがオレオレ詐欺に引っかからない。「断固として粒である」みたいに頭が固いと、すぐ引っかかる。案外実用的なものです」

物質のもとになる素粒子が粒ではなく、途切れなく増減するイメージだったエネルギーが粒みたいに一つ二つと数えられるものだなんて。

「自然をありのままに見ない修行をしなさい、というのがぼくの信念。人間が五感でふつうに受け取る自然がありのままです。ありのまま見るのは誰だってできる。でも、粒子のように見えるものを、それに騙されないようにするには修行がいる」

どんな修行をすればいいのだろう。中途半端な気分でいたら、先生がふといった。

「そもそも、原子は存在ではなく機能なんだ」

存在ではなく機能！　にわかにもやが晴れた気がした。

「われわれは、光を出す装置として原子に気づいたのです。最初に原子という粒を発見して、これは何者？　と考えたわけじゃない。見えないものを見つけるときは、何か役割をしているから、そこに何かがあるのだろうと考えるんです」

「マクロもミクロも、すべて物質は「力」に支配されている」

先生は次の話題に移った。

力は四つに分類できるらしい。まず重力、電磁気力。そして原子というミクロの世界に働いている、強い力と弱い力。

「重力は万有引力のこと。万有とは実にうまい日本語で、重力はすべてのものに分けへだてなく働く。まさに万有の力です」

「重力と引力は同じなのですか」

「そうです。そして次の電磁気力は、プラスとマイナスの組合せで引き合ったり反発したりする。原子どうしをくっつけているのは電気力で、原子は電子同士をやり取りして結びつき、分子をつくり物質をつくっている。筋力も、いかにも電気の力とは見えませんが、原子・分子的に見れば電気的な作用が働いて筋肉が縮まる。摩擦力やボールが跳ね返る反発力も、原子・分子的に見れば電気的な力として説明できる」

あとの強い力と弱い力は、原子核や素粒子だけに見られる力らしい。

「では、原子みたいなミクロの世界では、重力と電磁気力は消えてしまうのですか」

「いや、そうではない。一個一個の素粒子にも、重力や電磁気力が働いています。いっぽう、弱い力と強い力は、原子核の研究が進んだ二〇世紀初めに発見された力です」

私が勉強してびっくりしたのは、力とは粒子の交換である、ということだ。この歳になるまで、そんなこと知らなかった。まさか、物質と物質のあいだに粒子がやりとりされているなんて、漫画みたいな話だと思った。

「ほんとうなのですか？　二つの物質を引き合わせる粒子の働きを、二人がキャッチボールしながら近づくたとえで説明している本もありました」

「そのイメージでいいんです。いまの素粒子論では必ずしもそういう見方をしていないけれど、してもいいんです。湯川秀樹は、まさにボールをやりとりするイメージで中間子論を提起した。彼の一般向きの説明に延々と書いてある。大阪大学に職を得て、京阪電車で京都と行ったり来たりする話にひっつけて、中間子というボールが行ったり来たりして原子核が固く結びついているのだと書いている」

「じゃあ、やっぱりほんとうなのですね」

先生はうなずきながら、両手を前にならえをするみたいに出し、

「左右にプラスとマイナスの壁があるとする。そして、まん中にプラスの電気をもった粒子があるとしよう」

と、まん中でこぶしを握った。

「まん中のこいつは、マイナスのほうに引っ張られる。だがいったい、こいつはどっちに行くべきかをどうやって確かめているんだろう?」

私は黙って先生を見た。

「こいつは、オレはプラスやと知っている。で、ここにポンと置かれてまじまじと考える。でも、じっと考えているだけじゃわかりません。離れた場所に何かを発して、探索を入れないとわからない」

「それが、粒子を行ったり来たりさせるということですか」

「そう。行ってこさせて、あっちはプラスだよと情報をもって帰ってくる。でも壁のプラスは、いつたちまちマイナスに変わるかもしれないから、絶えず探索する必要がある」

「どうやって探索するのですか？」

「見るんです」

見る？

「見るということは、相手から光が来たということです。つまり光のエネルギーを行き来させて力を及ぼし合っている。これが電気的な力です」

遠く離れた星と星とのあいだでも、それは起こっているのだろうか。

「重力や電気的な力は、物質と物質がどんなに離れていても届くし、あいだが真空でもちゃんと作用している。力とは、そうしたやりとりそのものです。だから力という言い方は、ふさわしくないね」

「どんないい方だと、よいのですか？」

「ぼくたちは「相互作用」といういい方をする。化学反応も、電磁気的な力で起こっているが、ふつう化学反応を力だとは思わないでしょ。むしろ相互作用という言葉がぴったりする」

私はまだ浮かない顔をしていたのだろう、先生は念を押すように繰り返す。

「相手とのあいだには何もないんだよ。だから自分の力で周りとコミュニケートしないかぎり、どっちに行っていいかわからない。誰も教えてくれないんだもの。素粒子もふつうの世間の生き方と一緒なんだよ」

物が落ちるのは重いから。私たちが地面にくっついていられるのは、地球の引力のおかげ。星や銀河があっちこっちに飛んでいかずに距離を保っていられるのは、互いに引き合っているから……私はこれ以上のことを考えたことがなかった。そもそも、重力と万有引力が同じものだという認識さえ欠けていた。

まさか、机とカップのあいだに、人間と地面のあいだに、地球と月のあいだに、常に粒子がやり取りされているなんて。私はさっきからずっと、目の前にある机とカップを眺めていた。まさにいま、この二つのあいだにたくさんの粒が忙しく行き来しているのだろうか？　私はそっとカップをもち上げ、底をこっそりなでた。

でも、それがほんとうなら仕方がない。わたしは「はい」とぼそっと答えた。

「はいじゃないよ、はいじゃ」

先生は口をとがらせ、私は下を向いて笑いをこらえた。

「物が落ちる、で納得しちゃいかんのよ。万有引力にしても電磁気力にしても、離れているものの作用を、そうでも考えないとわかんないでしょ。物が見えるのも、光の粒子が届くから見える。素粒子はつねに信号を出しているんです。一所懸命、けなげにね」

「その信号自体も素粒子なんですよね」

「そう。物質を構成するのも、力を伝えるものも素粒子です」

物質の素粒子と力の素粒子の、二種類あるらしい。

「物質の素粒子は、互いのあいだで力の素粒子をやり取りしている。力には四種類あるから、力の素粒子もそれに対応して四種類ある」

世界は素粒子だらけである。力の素粒子なんて、実際に確かめられているのだろうか。

「電磁気力を担うのは光だから、これははっきりしている。それから、弱い力を担う素粒子も一九八三年に実験で確かめられている」

「あとの二つは？」

「重力をやり取りする素粒子は、実験的現象はないが、ないといってもうそではありませんよ。まだ実験できていないということ。強い力を担う素粒子は、間接的にあることがわかっている」

やはり、ほんとうの話なのか。

「こうした事実は二〇～三〇年前からわかっていることです。一九七八年に素粒子の全貌が整理されたんだ。標準理論とよばれている」

この世界をなす基本は物質と力。それらはすべて素粒子のなせる技。

「勉強して知りました。宇宙が誕生した直後は想像できないくらいに高密で、火の玉みたいに高温で、そのあと宇宙が冷えて膨張していき、物質や天体がつくられていったのですね」

「うん。火の玉宇宙では、当然ながらいまぼくたちが見ているような星は存在できない。そこにはいま宇宙にある物質のもと、つまり素粒子が高密度に溶けていたのです」

私という人間も、素粒子でできている。ではその素粒子そのものは、どうやってできたのだろう。でも、前にこの種の質問をしたら平安神宮に行けと却下されたから、私はさりげなく尋ねた。

「火の玉宇宙になる前は、宇宙はどんなふうだったのですか？」

「それは、物質はどうしてできたかという問題になる。ここで「真空」が登場します」

よかった。今日は叱られない。

そういえばさっき、妙な真空があった気がする。そう、「もの」としての真空だ。

「真空って、空っぽではないのですか？　空間に散らばっている気体を取り去ってしまえば、真空になるのではないのですか？」

「真空をつくるなんてことは不可能です」

「え？」

気がつくと、店内はすっかり静かになっていた。まわりにも人はまばらで、先生と私だけが話しこんでいる。先生はにわかに声をひそめた。

「真空は、じつは真空ではない」

「は？」

私は隣席の二人連れを視界の隅で気にしながら、声を拾おうと額を寄せた。

「真空という「もの」があるんだ。ぼくらは真空Ａ、真空Ｂなんていい方をする」

「真空にもいろいろある、と？」

私もつられてひそひそ声になった。


「物理学をやっている人間は、ふつうにこんな会話をします。真空が変化するとか、真空のエネルギーが高いとか低いとかね。こんな真空と「もの」の関係を最初に応用したのが、ノーベル賞を取った湯川博士の中間子論です。テレビやパソコンに欠かせないトランジスタだって、この「真空という物質」のおかげで動く技術です」

「真空は空っぽではないのですか」

再び同じ質問をした。

「真空とは「もの」があるかないかではなくて、振動しているか振動していないかなんです」

私はかすかな疑問を抱きはじめていた。物理とは、自然のメカニズムはこうですよと、私たちに示してくれる学問のはず。なのに「真空とはものが振動しているかどうかである」なんて、物理が言葉の定義を勝手に決めていいのだろうか。

「振動しないでじっとしている状態を「ものがない」といい、それがぼくらのいう真空です。そして、振動している状態を「ものがある」という。チョコチョコ振動しているだけなら「素粒子が一個ある」、より激しく振動していると「素粒子が一〇〇個ある」と見るのです。こういう考え方で素粒子を理解しようとしている」

そんな真空は、ほんとうの真空ではないだろう。「ほんとうの真空」は、どこにあるんだろう。

「物理学的に何もない空間はつくれないんだ。なるほど理論的には、原子も光もない状態を想定するのはかんたんだ。知っているものを取り除いていくことはできるかもしれない。しかしそれで「すべて取り除いた」という確認はどうするのか」

「真空掃除機や真空ポンプをうんとまわして、吸いこむものが何もなくなった状態を、真空というのではないのですか？」

「じゃあ聞くが、「すべて」を捕獲する万能掃除機などあるの？　ぼくたちがすべての物質をすでに知っているなら、それを取り除く仕組みをつくることは原理上可能です。しかし「万物を知り尽くした」という検証をどうするの？」

言葉につまった。

「それは原理上不可能でしょ。真空は、すべてのエネルギーの電子がない、すべてのエネルギーの光子がない、すべてのエネルギーのクォークがない……というように、知っているだけの粒子について宣言して、真空が定義されるのです。これはあたかも、私はお金をもっていないことの証明としてA銀行、B農協と、通帳を見せてやるようなものです」

そうか……そうなんだ。

「物理学では、技術や理論が進むと新しい物質を予想し、その一部は発見されてきた。この探求がどこまで行ったら止まるという保証はないのです。せいぜい、手にしている物質と「これ以上強く作用するものはない」というのが精一杯です。いま進められている力の統一理論とか素粒子の理論が成功したとしても、それが最終理論かどうかは歴史が終わってみないとわからないんだ。何もないとか、究極とか、そういう言葉に意味はないと繰り返しぼくはいっている。そうした概念がいかにあやふやなものか。気楽に口にすべきではないのだよ」

根源なんてないのだといわれたことを思い出した。

「で、本題です。素粒子はエネルギーとしては一個二個と数えられるが、ふつうの物質みたいに場所を占めているわけじゃないといったでしょ。これは「場の量子論」の教えなんです」

「場って、場所のことですか？」

「いや、場とはエネルギーをもったものです。場に「荷(か)」をもつ物質を置くと、ある力を受けるんだ」

「あのう、荷って何ですか？」

「荷は場の素(もと)です。荷があるから周りに場ができる」

ますますわからなくなったので、あきらめた。

「……それが真空と関係あるのですか？」

すると先生は面白そうに笑った。何かが出てくるらしい。

「急に下世話な言葉になるんだが、ぼくは上げ底理論といっている」

「菓子箱の上げ底ですか？」

「そう。立派な饅頭の箱のふたを開けると、上げ底になっている」

あら。

「饅頭を取り除いて、もっと下に何かないかと上げ底をめくってはいけない。絶対的にエネルギーがない所、つまり「ほんとうの真空」を知りたいと上げ底をめくっても、ほんとうの底はわからない。だから、この上げ底から測っておくのです」

電子がない、クォークがないと、知っているものをぜんぶ取り除いたからといって、何もないとはいえないから、上げ底でうやむやに……いやそっとしておくのだ。

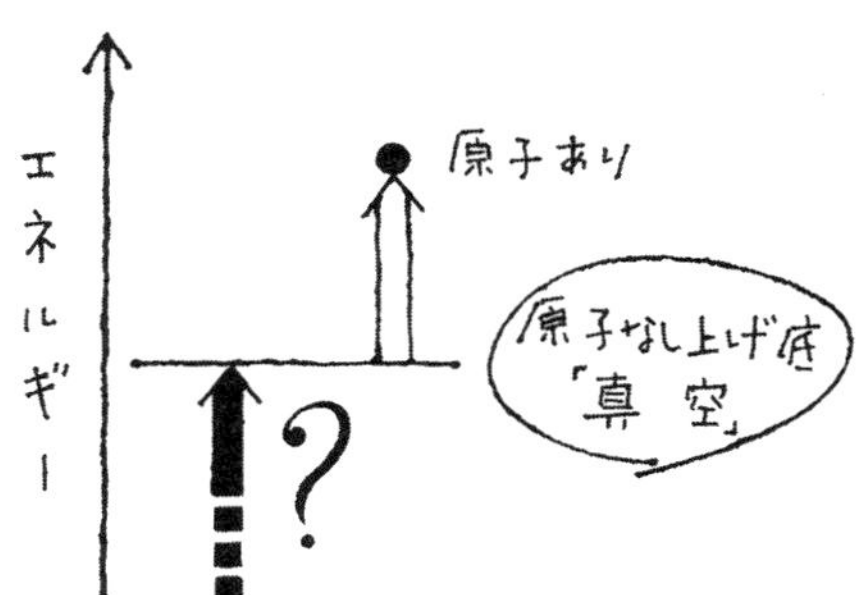

「ただ、何かを取り除いた、ということはわかる。電子を取り除けば、電子の真空になります。でも、他の知らないものがあるかもしれないね。上げ底の位置から見て、少なくとも電子のあるなしをいうのです。上げ底にだまされるなという意味ではなく、上げ底で我慢するのです。めくって「ああ、上げ底だ」というのは、はしたないんだよ。そんなことをしないのが上品なの」

さっき先生は、振動していない状態が真空で、振動すると物があるといった。

「上げ底の板が振動するんですか?」

「いや、そういうことじゃない。上げ底はエネルギーを測るグラフの基準点みたいなものです。底の位置をゼロとしておくんだ。いっぽうこれとは別にヒモみたいなものがあって、それが振動すると考える」

私は菓子箱の具体的なイメージにとらわれていたようだ。頭のまん中にあった菓子箱を左に寄せて、右の空間にピンと張ったヒモを浮かばせた。

「ヒモが動いていなければエネルギーはゼロ、つまり上げ底の位置にあたる。ヒモが激しく動くほどエネルギーは高くて、上げ底のところどころが山みたいに隆起する。振動の状態を、エネルギーのあるなしや高い低いに絶えず読みかえるのです。

素粒子は粒でもあり波でもあるから、イメージは描けない。ヒモが振動しているのを粒子がある、じっとしていれば粒子がないと、詭弁をいうんです。ヒモは物でしょ？といい出すと切りがない」

私は思った。物理学者だってなんとかイメージにしたいのだ。素粒子とはどういうものかを、人間の五感で理解できる説明をしようと四苦八苦しているのだ。

「そうか、エネルギーをヒモに見立てたわけですね」

「そうそう。素粒子とはつまり、エネルギーだと思えばいい」

先生はほっとしたようにいった。

「だいたい真空とか無限とか、変動しない大きな部分に言及するのはじつに不経済なんだ。それより、変化するものに関心を向けることが合理的なんです。科学で扱う単位や数量は、変化しない部分をはずすことをよくします。べらぼうな数値を扱わないようにするためにね」

なんとなくわかるような気がする。

「日々の暮らしで、毎日のように妻に「I love you」といわないようなものだね。そこが不変な部分なら、そこを基準にした感情の微妙な変化がいろどりを与えるんだ。それを、絶えずゼロから測った感情を毎日お祝いのように表現していたら、お互いくたびれるでしょう」

「ここまでが一九四〇年代の朝永振一郎の業績で、素粒子をどう見るかという教えです」

「では、その素粒子自体はどうやって誕生したのですか？」私はつい先を急いでしまう。

「それは第二ステージで、南部陽一郎のノーベル賞の理論です。一九六〇年あたりの業績です。ただし南部のこのアイデアは、宇宙とはまったく関係のない所から出ているんだよ。その後、南部の理論を確かめる実験が重ねられて、七〇年代の終わりに正しいとわかった。そしてぼくたちがこの理論を宇宙に使い、宇宙の初期に素粒子が生まれたようすを解明したのです」

物理学の発展のしかたが、少しわかってきた。

「上げ底のところをエネルギーがゼロとして考えるのが、さっきの第一ステージだが、次の第二ステージは、上げ底の高さ自体が変わるイメージです。地震で地盤が陥没するみたいにね」

頭の中の上げ底が、ストンと落ちた。

「素粒子が生まれて火の玉宇宙になったのは、上げ底の位置そのものが変わったようなものです。たとえていえば、五センチから三センチに下がった。ただし、下がる前も後も静かな真空で、これを真空Aから真空Bに変わったという。AとBの差、つまり二センチ分のエネルギーがあまり、そのエネルギーで素粒子がわーっと誕生したんです。こうして火の玉宇宙が形成された」

「その火の玉宇宙が冷めていき、星が生まれたのですね？」

「そうです。宇宙の空間に雲みたいにただよっているガスが、重力の作用であちこちに固まって星ができた。星の内部は原子炉のようなもので、放射能が満ち満ちた高温状態です。われわれの体をつくっている炭素も酸素もカルシウムも、すべての元素は星の内部で起こっている原子核反応によってつくられていって、燃えカスみたいに星にたまる。これが爆発でまわりに飛び散り、また新しく星が生まれる」

「地球もそうしてできたのですか」

「うん。すべての元素は、いま天体にある星の、一世代、あるいは二世代前の星のど真ん中でつくられた。それが爆発で飛び散り、ただよっていた塵が集まって、地球をつくったのです」

私たちの体をつくっている元素は、星の爆発によってばらまかれた燃えカスなんだと先生はいった。

「ぼくみたいに物理学の立場から星を見ると、星は多様な元素をつくった存在として、ひじょうに重要です」

ぼくは星を見上げても、困ったことに涙が出ないのだと笑っていたのを思い出した。

「この腕はどっから来たんやろと思ったら、その星の真ん中を思い浮かべればいい。ぼくらは星の子なんですよ」

涙が出ない先生にしては詩的なフレーズである。

あ、と気がついた。

「三センチに下がる前の真空にもエネルギーは秘められていることになりますね。じゃあそのエネルギーは、どこからやってきたのですか？」

「そう、もとになるものはやっぱりある。何もない所から生まれたわけではありません。いま知っている素粒子はなかったといえるだけ。次は、まだ観測されていない存在を仮定して、その真空の場を究明する作業になります。こうして、少しずつ問題のフロントを広げていく。ここが底なの？　いや、もっと下にあるの？　と、自分がいるところのまわりを宙ぶらりんからじわじわ掘っている。自分の置かれた場所から、いつもこわごわと手を伸ばしてね」

けなげな物理学者。いま少しずつ探っているのだろうか。

「こんな時期にやれるものですか。五〇〇〇億円はかかるんだよ」

と先生は笑った。

エネルギーのもとはまだ観測されていないのか。つまり私たちはどこから来たのか、まだわかっていないのか――私はぼんやり考えていた。

「死と生の話でいうとね」

遠くから声が聞こえた。

「物理的にわれわれがすっかり消えることはない。憎たらしいことに、腐ったって原子はある。原子のある組立てがなくなるだけです」

何をいっているのだろう。

「人間の生とは、原子の組立てや配置という、ある限られた時間のシステムです。顕微鏡レベルで見た生命とは、Aのふるまいをしていた細胞がBのふるまいに変わっただけといえる。細胞が腐る過程だって厳密な手順で腐る。生まれるのも死ぬのも、細胞はどちらもちゃんとした手順で変化するが、それを区別しているのは人間である」

先生の声だけが静かに響いていた。

「そして、芸術とかサイエンスといった人間がつくった文化的なものは、人類があるかぎり受け継がれていく不死のものだと思うね」

雨上がりの木々から漏れる柔らかい光を背に、先生の深いまなざしがあった。

「それは記憶といってもいい。第三の世界の記憶の中で、生きたその人の何かが永遠に残るという思いです」

私は再び自分の中に下りていきながら問いかけた。「生きたあかしみたいなものですか」

「そうです。誰だってそういう意識はあるでしょう。個人的な記憶から、芸術や科学などの広がりのある記憶まで」

先生のまなざしは、何を見つめていたのだろう。

第4章　私たちは世界をどう見ているのか？

私はいつものように早めに進々堂に着き、かたい木の椅子に座って先生の本を開いた。量子力学の本である。

先生はこの前、物質のもとである素粒子とはどんなものか、それがどのようにしてこの世に現れたかを話してくれた。しかし最初の最初はまだわかっていないといっていたはずだ。ということは、私たちは、そして宇宙は、どこからどのように誕生したかも、まだわからないということなのか。

先生はどう考えているのだろう。それを聞き出すために、素粒子論の知識を頭に入れておこうと、入門書を買って自習した。

簡単には理解できなかったが、それでも少しずつわかってきた。素粒子のことは量子力学とよばれる法則で理解するらしい。つまり先生が教えてくれた、素粒子とは粒ではなく波や雲のように広がって存在していることは、量子力学の理論である。また、いずれ知りたい宇宙のはじまりを理解するには、量子力学の知識が必要らしい。

しかしこの理論にはふつうではない話がいっぱいあって、よくわからない。しかも先生の本となると、ほとんどわからない。この際、直接聞こうと思った。

「あの、今日は量子力学のお話が聞きたいのですけれど」

「量子力学の前に、ニュートン力学についておさえておく必要がある」

木から落ちるりんごを見て、万有引力を発見したというニュートン。私にはその程度の知識しかない。しかし、ニュートンは近代科学を確立した人として、科学史を語るときの最重要人物らしい。

「近代科学は、ニュートンが著した『プリンキピア』で開かれた。三〇〇年以上前です。彼はこの本で、科学の方法論をはじめて体系的に示したんだ。ニュートンより前と後で、自然の研究の歴史はくっきりと分かれます。いまわれわれがもっている自然や物質に対する科学的な見方の基礎を、ニュートンが完成させたといえる」

ニュートン力学は、マクロの物体の運動を説明した。これによって、天体の運動や砲弾の飛ばし方がわかった。次に人びとは、物体は多数の粒子の集団らしいことに気づく。そして、粒子の集団のふるまいを説明する熱力学を生みだし、これで蒸気機関車が走った。さらに人びとは電気力や磁力に気づき、これを説明する電磁気学を完成させ、電車が走り無線通信が可能になった——先生は、近代科学の歴史をこんなふうに説明した。

「このあたりで、物理学がだいたいわかったように思われた時期があったんです。力学的自然観といわれる。ところが電気の技術が進んで実験器具が進歩したおかげでエックス線が発見され、ベクレルやマリー・キュリーも未知のものを発見する。それが放射線です。しかしここで発見されたものは、それまでの物理体系に収まらなかった。一九世紀の終わりのことです」

それまでは、気体は原子の集団であるというふうに、原子は物質の要素であると漠然と考えられていた。しかし放射線の発見で、原子より一〇万分の一も小さい素粒子の存在が明らかになり、様相はガラッと変わったらしい。それまで万能だった、マクロの物理現象を説明する数学理論が、素粒子には適用できなかったのだ。ここで登場したのが量子力学である。

「量子力学が一応の完成をみたのが一九二七年です。この理論が、ミクロの世界のいろんな現象を解き明かしていったんだ」

量子力学は、ニュートンがやったことと同じくらい大事なことなのだと先生はいった。

「量子力学は、大学の物理学科に入れば三年くらいで習います。ITや遺伝子工学といった現代のめざましい科学技術は、この量子力学のおかげです。おそらく後世の人は「二〇世紀は量子力学の時代だ」というだろうね。それほど、社会の技術的基盤を変えてしまった根幹的な物理法則です」

「シュレディンガーの猫って、知ってる?」

「ええ。量子力学の入門書に必ず出てきます。でも、何度読んでもよくわからないのです」

百年ほど前に、量子力学の創始者のひとりであるシュレディンガーという物理学者が考えた、空想上の実験である。箱に猫と放射性元素と毒薬を入れ、外から見えないようにふたをする。放射性元素から放射線が出ると、毒ガスが出て猫が死ぬ仕かけになっている。

猫は放射線で死ぬのではない。放射線が出てきたら、それをキャッチして毒ガスが放出され、そのガスで死ぬのである。そして、この猫が変わっている。見えない箱の中で、この一匹は、生きている猫と死んでいる猫が重なっているというのだ。

「こんな奇妙なことが起こるのは、放射線が出るというミクロのプロセスが、量子力学という不思議な理論で記述されるからなんだ」

量子力学の法則によると、ミクロなものはひじょうに不確かな存在で、どんな動きをするかがはっきりしないらしい。しかも、一つのミクロの存在にいろんな状態が重ね合っているという。ただし、見たらすべてがはっきりするのだという。なんだかモヤモヤした話である。

「つまり、ミクロなもののふるまいは、確率でしかわからないということです。この量子力学の「不確定さ」にはいろいろあるが、シュレディンガーの猫での不確定とは、放射線が放出される時刻が確定的でないことです。明日かもしれないし三〇年先かもしれない。これは確率的にしかわからない。そしてこの放射性元素は、放射線の放出前でもあり放出後でもある、ということです。

このことから、一か月たったとき猫は生きているか死んでいるかわからん、猫が生きている状態が何パーセントで死んでいる状態が何パーセントで重ね合っているんだ、という理屈を導く。ふたをしたままではわからん、見ないとわからんと、量子力学はいうんだ」

「中が見えないからわからない、という意味ではないのですか?」

「いや、こっちの情報不足ではなくて、本質的にわからない。猫の生死が重なっているという理論です。そして箱を開けたら、つまり観測したら、生死が一〇〇パーセント確定する」

私は尋ねた。

「開けなくたって、猫はどちらかですよね。中が見えなくたって、猫は死んだか生きているかのどちらかになっているはずですよね」

この議論が、私には言葉遊びにしか聞こえないのだ。

「シュレディンガーの猫の不思議さは、ミクロの不確定さが、猫というマクロの不確定さに影響することです。ぼくはこれを「感染する」といっている」

……そういうことなのか。この実験の意味がわかった。

「ミクロは不思議な世界なんだから、確率的に重なった状態でもいいじゃない、と思いがちである。なにしろ別世界だからね。ところが、ミクロの世界での奇妙さをいったん認めたら、必然的にマクロな猫の生死も重なるんだという仕組みをシュレディンガーは考えた。それが彼の意図です」

なるほど。

「これが、アインシュタインの晩年が孤独だったことと関係している。アインシュタインは、そんなバカなことはあり得ないといったんだ。箱を開けなくたって、猫が生きているか死んでいるかは決まっていると、彼はいいたかった。当たり前の、非常に健全な常識です。こうしてアインシュタインは、量子力学に最後まで反対した」

アインシュタインに賛成である。猫の生死が半々なんて、どうかしている。

「逆にお尋ねしたい。見えないのに、どうして猫の生死が重なっているといえるのですか？」

「量子力学という理論が、そういう記述の仕方をするのです」

理論なのか。私は、こうだといわれると具体的にイメージしてしまうのだ。

「見たらどちらかに確定するのに、それを記述できない理論は不完全で、その先をつくらなきゃいかんとアインシュタインはいったんだ」

シュレディンガーがこんな仕かけを考えたのも、量子力学の奇妙さをあげつらうためだったという。

「だがそもそも、量子力学はアインシュタインとシュレディンガーがぜんぶつくったようなものです。しかし、二人とも量子力学はおかしいといっている。総本家が、自分でつくったものに反対しているんだ。量子力学という素晴らしい理論の歴史をたどるとお家騒動にぶつかって、ねじれにねじれて落ち着き先が決まらない。誰に聞いてもわからない。わかる人がいたら連れてきてほしいね」

先生のこういういい方に、私はいつも声を立てて笑ってしまう。

「量子力学で世の中を解明しようと、湯川秀樹などの新人が張り切っていた時代に、アインシュタインは「あの量子力学は未完成でおかしい」といい続けて無視された。当時すでに、物理学者の中ではカリスマ的存在になっていた彼は、若い科学者に「量子力学を信じているのか」と怒っていた。そして人生後半の三〇年近く、物理学者の誰にも相手にされなくて孤独のうちに亡くなった」

かわいそうに。

「アインシュタインを惑わすくらい、量子力学は一種の魔物です。ファインマンという物理学者は、素粒子の運動のようすを求める方法を考え出したことでノーベル賞をもらった人です。そんな彼でも、受賞したときに「しかし量子力学は俺にもわからん」といった。わからないけれど、量子力学を自分はいくらでも使える、ともね。それほど不思議な理論です。わからないほうが使える」

「で、ほんとうはどうなんですか」

「その後、いろいろ研究がなされた。そして一九八〇年あたりに、決まっているのにわかっていないだけか、それともほんとうに決まっていないのかが、レーザーなどで実験できるようになって、アインシュタインが考えたような修正はあり得ない、つまりその先はないという結論が出た」

完全にアインシュタインの予測が間違っていたらしい。でも、どうしたって現実の猫にはつなげられない。猫が生きているか死んでいるかわからないなんて、そんなことは現実にはあり得ない。

「しかし自然はそうなんだ。量子力学は正しいことが証明されたからね。では、この人間が受け入れがたい理論は何なのか？」

先生は自分に問いかけるようにつぶやいた。

「量子力学は、いままでわれわれが見てきた世界の見方が間違っているのですよと、けちをつけてくるんだ。量子力学の不思議さは、理論の欠陥ではなく人間の欠陥だろうと、ぼくは考えている。人間は、自然を素直に見るようにはできていないんです」

人間はマクロの世界で生きてきたから、微細なミクロの自然を理解できるようにはできていない。田舎で育った人間がハイカラな量子力学を理解できないでいるんだ、人間はしょせん田舎者なんだ、と先生は笑った。

「あのう、ほんとうに猫の生死が重なっているんですか？」

「現実に重なっているという理論で、携帯もパソコンも動いている」

そんなあやふやなものが集まって、どうやってかたい物体が形成されるのだろう。電子は雲のように存在しているというが、だったら原子はかたくないのか。どの時点から、日常の物質のように輪郭がはっきりしてかたくなるのだろう。

「たしかに猫は大きすぎるし複雑すぎる。シュレディンガーの猫は、比喩ですよ。原子一個と猫じゃ差がありすぎるから、いまハイテク業界ではその中間の大きさのものを使って、シュレディンガーの猫にあたる実験を一所懸命やっています。超伝導とかカーボンナノチューブといった、いくつもの原子が整然と並んでいるものを人工的につくれるようになったからね。少しずつ大きくして猫につなげようとしている」

わからないのに使える、ということがわからない。ふつう、何かをつくるときは、完成予想を立てて、それをめがけてつくるはず。その材料になるものがあやふやなものなら、どうして何かをつくることができるだろう。

「いや、量子力学が使えるというのは、そういうことではない。ミクロの物質の量子的な特性を利用することで、新しい技術ができていくのです。たとえば、重なっている世界を積極的に利用しようとしているのが量子コンピュータです」

聞いたことがある。すごい速度で計算をするらしい。

「何兆台ものコンピュータが一台のコンピュータに重ねられたイメージです。いままで何兆回やっていた計算がいっぺんにできるから、あっという間に結論が出せるんだ」

簡単にいえばこんなことらしい。

ふつうのコンピュータでは、1と0ですべての数を表す。裏と表に1と0の数字を書いたカードが並んでいるようなものである。三枚のカードがそれぞれ1、0、1と出すと、101という情報になる。正解が出るまで2×2×2＝8とおりの数字を一つずつ見せていく。

しかし量子力学を採用したコンピュータでは、「カード」ではなく電子を使う。電子は量子力学の法則にのっとったミクロの物質だから、常時1と0の状態が重ね合っていて、答えが瞬間にぱっと表せる。電子一〇個で約一〇〇〇の状態を扱え、四〇個で一兆もの状態が扱えるらしい。数少ない電子で、膨大な量の計算をいっときに行えるのだ。

「いまはまだ一〇個くらいの重なり具合しか実現していないが、それを何兆個にもしようとしている。するとスピードの差は歴然としてくるね」

「まるで人間みたいです」

また叱られないだろうかと思いながら、私はいった。

「私という人間は、いろんな面が重なっています。でも、ある人が私に意地悪をすれば、私もその人に意地悪な人間として相対する。別の人がやさしい言葉をかけてくれたら、その人にはやさしい人間として対するでしょう。他人によって私はある一面を見せるが、そういうのをすべて合わせたものが私である。それと同じだなって」

「いや、そうなんだよ」

思いがけない反応に、私はちょっとびっくりした。

「あなたがいうのは、こういう意味でしょ。人間の気持ちなんて、たしかにいろんな状態が重なっている。可能性Aと可能性Bと可能性Cをひっくるめて、われわれは生きています。それが、あるときいっぺんに一つの可能性に絞られる」

ええ。

「ぼくはこう考えているんだ。量子力学は、物理でいう「もの」ではなくて、人間のあり方、つまり情報みたいなものに関係しているのではないかとね」

「でも、量子力学って物理の理論ですよね。つまり物質についての理論ですよね？」

「もの自体の法則性と、人間がそれを見たときにどう認識するかの法則性が、ごっちゃになっているのが量子力学だとぼくは考えている。つまり量子力学は、従来の物理学みたいなものと、そうではない情報みたいなものとの、二つの部分からなっているというのが、ぼくの最近の主張です」

その二つをいっしょにできるのだろうか。

「人間は、気持ちだけじゃなく行動だって、常にある幅をもって対応している。日々の現実もそうです。明日どうなるかが、ほんとうは決まっているけれどわからないのか、決まっていないのか？」

決まっていないと思う。

「天気予報だって、明日は雨が八〇パーセントで二〇パーセントは晴れるかもしれないといっている。傘を八〇パーセントもつなんてことはないのに、そういういい方をする。それと同質の問題です。こうした可能性の重なりと、現実のもののあり方が重ねられるかどうかのギャップです」

いわれてみればそうだ。明日の天気は雨と晴れの可能性が重なっているのに、それに対処しようとする傘をもつかもたないかの行為は、重ね合わせることができない。

「量子力学をどう考えるのが正しいか、その答えはまだないのです。だからぼくが本を書いているんだ」

先生はくすりと笑った。

「そもそも科学には、世界をどんなふうに見たいのかという時代の精神が、絶えず加味されているんだ」

科学も時代の雰囲気に左右されるのだろうか？

「量子力学だってそうです。つかみどころのないこの理論が世界にわーっと流行ったのは、当時の時代背景があるんだ。量子力学の萌芽は一九世紀の後半からあって、第一次世界大戦後に多くの発見や議論があって完成していきます。この時期は明日も知れないようなひじょうに不安定な世相で、ウィーン文化といわれる多様な文化が生まれた。量子力学もその一種だと思うね。ぼくのこういう見方は、科学者のあいだでは多数派じゃないけれど」

先生はふふっと笑う。

「量子力学は数式で表せればそれでいいんだ、それこそがすっきりした本質をとらえているんだ、と思わせる時代背景があったんですよ。芸術作品は必ず時代背景があるが、科学だってある時代の自然の見方です。こっちから見たりあっちから見たり、ある見方はこの時代には広がらなかったけれど次の時代に広がったり、とね」

いつの時代にも変わらない自然の真理とか法則を追い求めるのが、科学だと思っていた。

「いや、宇宙だってそうです。ずっと長いあいだ、宇宙とは姿を変えない安定した存在だと思われてきた。これは目に見える光、つまり望遠鏡で見た姿で築きあげた考えです。しかし観測技術が進歩して、エックス線や赤外線の波長で天体を見るようになってくると、何万年といった短いあいだに銀河系が爆発したり衝突したりと、姿を変えるようすが観測された。さらに、いまとは似ても似つかない火の玉のような時代があったことがわかった」

宇宙がいまの姿になったのは、必然ではなく偶然なんだと先生はいった。

「はじめに仕込まれた機械装置で宇宙がいまのようになったのではなく、いろんな選択の結果としてこうなった。これは物理法則も含めてです。現在の、星に満ちた宇宙に使える物理法則はニュートン力学だけれど、この法則は宇宙の初期に存在しない。宇宙の初期に使う理論が、いまのところは量子力学です」

「自然の仕組みはこうですと示すのが、物理法則でしょう？　それが絶対的なものではないのですか？」

「ニュートンは、地上の落下運動を決めていた法則が、宇宙そのものもつくったのだと考えた。つまり、絶対的な法則がまずあって、すべてを支配するという考えです。しかし、宇宙は変化してきたとわかったでしょ。宇宙の初期は高温高密度で、陽子も小さいクォークというものに溶けていた。となると、この時代は陽子についての物理法則はなかったことになる」

なるほど。

「重力、電磁気力、強い力、弱い力という四つの力だってそうです。宇宙の初期にはこんな区別がなかったけれど、低温になるにつれて偶然この四つに分かれてきたと考えられている。つまり、物理の基本的な法則も、われわれの宇宙という偶発的な環境があってこそ現れた、一種のでき事だと見ることができるのです。だから、われわれが認識した宇宙や素粒子の法則を、絶対的に不変なものだと考えるのは思い上がりなんだ」

物理法則も、宇宙が誕生する前からあったものではなく、宇宙の進化の中で生成されたものだということか。

「われわれの認識は、まず五感から出発した。しかし知恵と道具を積み科学を発展させて、五感では及ばない素粒子の世界や、宇宙という巨大な世界へとテリトリーを広げてきた。だけど、われわれはニュートン力学より先に量子力学を発見してもよかったし、銀河に気づいたあとに、その中に星の存在を見つけてもよかったんだ。われわれが電波に感ずる生物なら、そんな順番で見つけていたかもしれない。この順番は、自然の側から見ればまったく偶然だと思うよ」

何だか突飛な話である。

「たとえば、暗黒物質は光さえ出さないし、原子とぶつかっても原子がもつ電子を無視して通りすぎる。つまり、暗黒物質には電磁気力が働いていないことがわかる。宇宙には、なじみのある物質よりも多く暗黒物質が存在していて、体の中を膨大な暗黒物質の粒子が絶えず通り過ぎているが、この存在にずっと気づかなかった。なぜなら、人間は原子からできていて電磁気力で動いているからです。いっぽう原子は、人間との作用が大きいので気づくことができた。われわれはそんなかたよった立場から宇宙を見て、物理法則を発見してきた。人間の動物機能に関連した出発点から、上下に認識を拡大してきたのです」

私たちはあくまで、私たちが認識できる範囲で世界を見ているにすぎないのか。

「宇宙をどこまで解明しても、それはわれわれの宇宙なのです。われわれは特殊な世界を見ているんだ」

たしかに、私たちは宇宙を外から観察することはできない。中から観察しているのだ。

目隠しされて部屋に入れられ、四方八方にボールを投げてその跳ね返りのようすから、どんな部屋かを探ろうとしているようなものだ。

「宇宙を支配する物理法則も、しょせんはこの宇宙という特殊な存在に関するものです。これを真の普遍性だと思うのは、錯覚だね。ぼくらは、しょせんは自分のサイズにあった範囲でジタバタしているんだ。超越的な神からもたらされた必然ではなく、けなげにやってきてこうなった。そしてぼくらはいま、二度とない時を過ごしているんだ」

けなげ……私の好きな言葉である。

「それにこれから先、宇宙の全体が詳細にわかってくると、いままで見えていなかったものが見えてくるかもしれんよ」

第5章　死の永遠性は物理の時間で解けるのか？

今日は、先生の自宅近くにあるホテルの喫茶室で話を聞くことになった。梅雨空の朝の館内はひっそりして、フロントでは黒服の男性がひとり落ち着いたようすで仕事をしている。

約束の一〇時を少し過ぎて、先生が玄関の向こうに現れた。足早に入ってくる。

「東京から編集の人が来ると、ここでよく打ち合わせをするんだ。いつもなら歩いて一〇分くらいで来れるんだが、雨のせいか今日は一五分もかかっちゃったよ」

と傘をたたみながらいった。広い喫茶室には一、二人の客しかいない。前庭を眺める席に腰をおろした。

「さて、今日は時間と宇宙の誕生について話すんだね」

ええ、と私はうなずいた。

「あなたはどう思っているの？　時間のことだけど」

「これまで先生の話をうかがっているうちに、いったい私は死の何を知りたいのか、だんだんわからなくなってきました。ただ、なぜ死をおそれるのかを改めて考えたとき、それは永遠という時間に対するおそれだということに気づいたのです。死んだら永遠に自分というものがなくなることがこわいし、かといって永遠に生きたいのかといわれると、それもこわい。つまり永遠という感覚がこわいのです」

永遠について考えると、底のない暗闇に吸い込まれる。先生は、根源とか永遠を考えることは意味がないといった。しかしそういわれても、永遠へのおそれを解決することにはならなかった。やっぱり時間は永遠に続くという感じをもっている。だから死ぬのがこわいと思うのだ。

いっぽう、宇宙のでき方を勉強して、時間の問題にぶちあたった。本を読むと、火の玉宇宙より前にさかのぼると、空間や時間が存在しない状態に至ると書かれている。この時期の宇宙が「量子宇宙」とよばれている。

「宇宙が誕生した」というと、無限の空間に宇宙という空間がぽっかり生まれたように思うが、そうではなく、空間そのものが生まれたと考えなくてはいけないらしい。となると、宇宙ができる前の空間がなかった時代には、時間もなかったことになる。なぜなら、そこには変化するものがなかったから。

物質が一切ない状態なら想像できる。しかし、時間も空間もない状態とは、どういうことか。それに「時間」は、アインシュタインの相対性理論と切っても切れない話題らしい。時間は絶対的なものではなく、変化するものらしい。

変化する時間とか、時間がない量子宇宙とか、いったいどういうことなのか。いままで当たり前に流れていると思っていた時間の概念がくつがえれば、永遠へのおそれを鎮める糸口になるかもしれない。そう思ったのだ。

私は尋ねた。

「そもそも時間とは何ですか？　物理学では時間をどのように考えているのですか」

「あのね、時間の話と量子宇宙の話とはぜんぜん別の話だよ」

不意打ちを食らわされた気がして、体を引いた。

「死んだら永遠に無になるというあなたの時間感覚は、死後の世界をどう考えるかといったことと関わりがある話だと思う。これはいわば社会的な時間です。ものすごく大きなテーマです。いっぽう、量子宇宙の話はものすごく小さなテーマです。まずこの二つをひっつけてはいかんのです。社会的な時間と量子宇宙は、何の関係もないのです」

黙って先生を見た。

「あなたの注文に従って、社会的な意味での時間と物理学の時間とに大きく分けたとする。しかし「物理」という枠より大きく「科学」という枠がある」

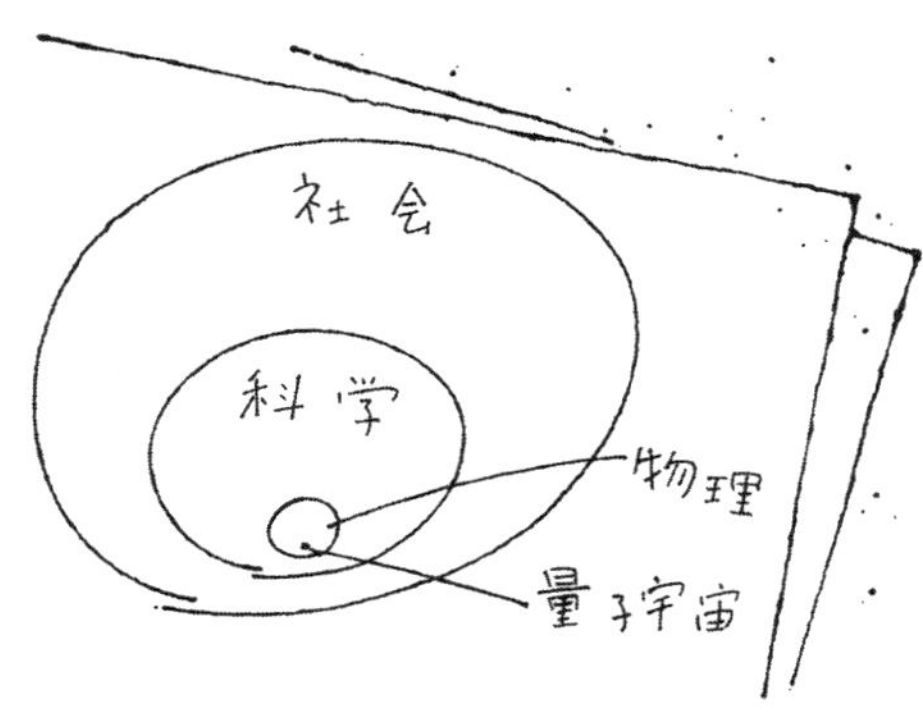

先生は、手もとの紙に大きな円を描いて「社会」と記し、その中に科学という円、さらにその中に物理という円を描いた。そして物理の円の隅っこに丸く点を打って「量子宇宙」と書いた。

「物理の時間だって、科学で扱う時間の一部にしか過ぎない。物理の時間とは、物が冷えるのにかかる時間とか、物体がA地点からB地点に移動する時間といった、物理学で扱う現象のこと。いっぽう、科学で扱う時間の中には、生命の時間もあれば地質学の時間もある。でもこれらは物理の時間じゃない。なぜなら、これらは物理学の方程式に乗せられないからね」

私は視線を落として聞いていた。

「かくのごとく、自然科学で扱う時間にもいくつかあるのです。あなたは物理学の時間を知りたいというが、それは科学の時間とイコールではないし、なおさら社会の時間とイコールでもない、一部のこ

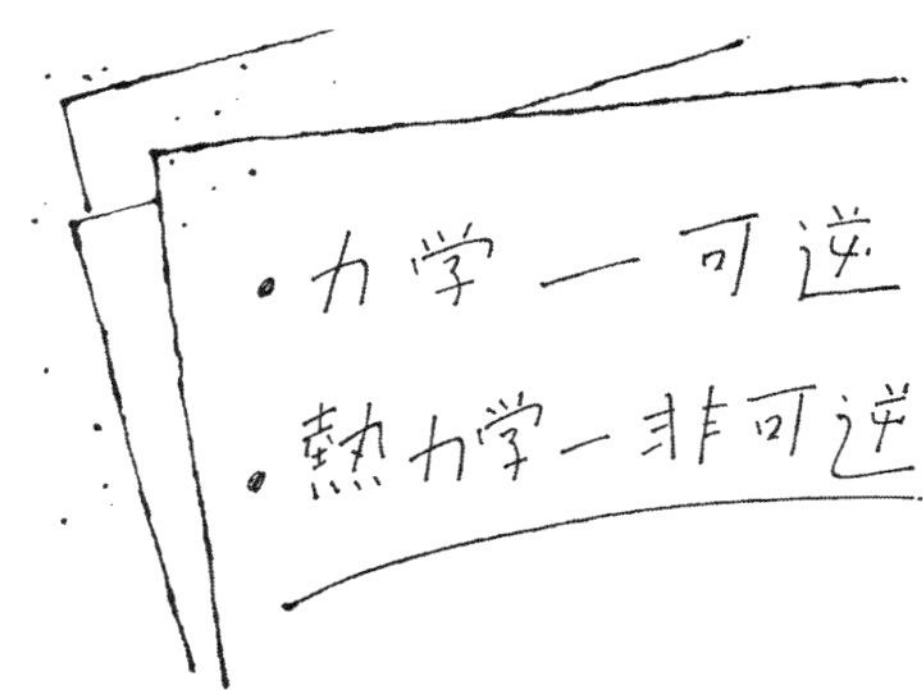

とです。しかも、量子宇宙の時間は物理の時間のさらにほんの一部です」

先生が描いた量子宇宙の丸が、視界の中でますます小さくなっていく。

「こういう関係を前提として、物理学に話を落としていこう。まず時間という観点からいうと、物理学は力学と熱力学の二つに大きく分けられる。しかしこの二つにはディスティンクト(distinct)な違いがある。なじまないんだ。熱力学は、いわば情報の学問だからね」

物理の話になると、ときどき英語が飛び出す。専門分野を思考するとき、先生の頭は英語仕様になるらしい。科学を学ぶなら、合理的な思考のために英語でものを学ぶべしと、先生はどこかに書いていた。

次に先生は紙に「力学」「熱力学」と縦に並べて書き、力学の横には「可逆」、熱力学の横には「非可逆」と書き加えた。

「熱力学では過去と未来は明確に違う。ところが、力学では過去も未来もないのです。死んでいる状態が、生きてくる。つまり可逆なんだ」

ちょっと待ってほしい。力学とは、物質が運動する法則を説明する知識のことである。その力学が可逆とは、時間を逆にもどれるということか。でも時間はもどせない。そんな非現実的なことを、物理で扱うのか？

「先に行くのと過去にもどるのとが、まるっきり同じ法則なのです。死んでいる状態が、方程式を解くと生きてくる」

ああそうか。ボールを投げるその逆は、飛んでいった先から手にもどること。これらは同じ数式で表せる——だけど、現実にはそんなことは起こらない。私は控え目に抗議した。

「死んだ人は生き返りません」

「そう、だからこれはイッツ・ロング(It's wrong)です。現実にはないからね。だけど、現実にはないということを、力学では説明できない。なぜなら、力学時間は可逆だからです。ないことをあるというんだから、その部分は間違っている」

「間違ったことを学校で教えているんですか」

「物理って間違うんだ、いつも」

確信した。先生は私を煙に巻こうとしている。

「力学の時間だけで現実は説明できない。それは誰にとっても明白なことです」

物理はいつも正しいものだと、あなたは思っているかもしれんがね、と先生は笑った。

「物理学は、自然を数や方程式で表現する数理の科学なんだ。そこが他の科学とは違うところ。しかし数や方程式を自然は知らないのだから、それで自然がわかったり人間がわかったりするはずはない。だが、物理学はその手法で現に成功しているから、あたかも対象そのものに数字が書いてあるみたいに錯覚する」

はあ……。

「こうした物理学は、ニュートンが確立した。ニュートン力学は、天体の運動を表すことに成功した。その力学で地上の現象も扱えた。しかし現実には逆がない」

そりゃそうだ。

「そりゃそうです。そこで一九世紀初めに、物理学はこのままじゃ世の中に通用しないとなった。そこで非可逆的な時間をもち込んだのです。それが熱力学です」

あのう、と私は遠慮がちに尋ねた。「熱力学の熱って、熱い「熱」ですか?」

「ああ、なるほど」

私の納得のいかなさに納得する先生。

「物質は原子から成り立っているね。そして原子は力学で動いています。いっぽう、われわれが見ているマクロな物質は、膨大な数の原子の集まりだね。しかし一個一個の原子の運動にわれわれはノー・ペイ・アテンション(no pay attention)です。一個一個の動きを気にしていない」

私たちが見ているさまざまな物質は、たくさんの原子がまとまった姿である。つまり、原子の動きの平均を見ていることになるのだと、先生はいった。

「さて、熱力学の「熱」とは、典型的には「温度」です。そして温度とは、動いている原子の集団の平均のエネルギーのこと。これは一九世紀末にわかってきたことです」

ああそうか。このカップの水に温度計を差して一〇度と出たら、それは水の原子一つひとつが動く激しさの平均値を取ったわけだ。

「温度とは原子の集団の運動の平均値です。このように、熱力学では熱だけではなくいろんなものを統計操作します」

「統計操作?」

「たとえば平均を取るということです。ただ、この操作は自然がやっているというより、人間が物事を見やすくするために勝手にやっていることです」

どういう意味だろう。

「平均とは、何かの集団をおおざっぱに見た結果だからね」

おおざっぱ?

「日本の国の動きは、各個人の動きをぜんぶ見たらわかりますか？」

それは無理だ。

「一億人の所得をずらっと並べて、それをどう表現しようかと眺めても、人間の脳の処理能力が悪くて、けっきょく何もわからない。真実とはぜんぶ見ることかもしれないが、知識ではない。すると、平均値をとって日本のありさまを理解する」

なるほど。

「そのとき一つひとつの生の情報を大量に捨てている。熱力学も同じです。力学的な物理学では、物体に質量が現にあるからそれを汲み取って質量とし、物質が現にプラスとマイナスを帯びているから電荷とする。質量も電荷も人間が勝手につくったものではなく、自然がもともともっている生の情報です。だが熱力学は、平均をとることで自然のありさまを解き明かす学問であり、情報をうまく捨てる手法なんだ」

さっき先生は、熱力学は情報の学問だといった。そのことらしい。

「こんなふうに情報とは、そもそも情報を得る側、つまり人間の都合が入るんだ」

ようやく時間について話題にできそうだ。私は尋ねた。

「で、熱力学が非可逆とはどういう意味ですか？」

「情報を捨てると、時間がもどらないからです」

「なぜですか？」

「単純な話です。記録を捨てちゃうと、もとにもどせないでしょ」

まあそうだが……。

「少なくとも、熱力学は人間が物事を処理するために生み出してきた手法です。物理はマクロな物体を扱うことからはじまったが、いまはマクロなものはものすごい数の原子の集団であることがわかっている。だからマクロなものごとも、ほとんどを熱力学的な情報処理で記述する。いまや力学だけで処理できるのは、天体の運動くらいだね」

「力学と熱力学は、方程式も違うんですね」

「力学には平均値なんてないからね。いずれにせよ、物理は常に力学と熱力学の相容れなさが共存している。だから、物理の方程式に出てくる時間も、この二つを区別して見ないといけないのです。力学の時間だけじゃ現実に合わないからね」

それから、と先生は続けた。

「量子力学には三つ目の時間がある」

まだあるのか。

「量子力学独特の非可逆です」

いったい何だ。

「観測したらもとにもどれないんだ。これは、熱力学と違う意味での非可逆です。これも、さっきの二つと関係づけることができない別のものです」

観測すれば非可逆？

「シュレディンガーの猫を思い出してごらんなさい。途中で開けて、猫が生きていたらまた閉めるということができない。つまり非可逆なんだ」

「なぜ閉められないんですか？」

「開けたらそこで実験が終わってしまうんだ。いまのはなかったことにすればいいでしょ、というわけにはいかないんだ」

「こそっと見られないのですか？」

「人間が介入したことで自然のあり方を変えてしまうのです。人間は自然に何の妨害を与えることなく、見る、つまり観測することはできない。観測すると相手の状態は変化するから、人間が手を出す前の生の自然がわからなくなる。これを不確定性関係といって、量子力学の深遠なところです」

「観測したら、なぜ相手は変化するのですか？」

「肉眼でも観測機器でも、「見る」という行為は相手に光のエネルギーを当てることです。日常の世界のマクロな物質は、光のエネルギーを当ててもビクともしないが、ミクロな素粒子は動いてしまってどこにいたのかわからなくなる。だから観測すると、相手の状態が変わる、つまり不確定性が生じる」

なるほど、そういう理屈ならわかる気がする。

「ただしその後、この解釈は専門家のあいだでずっと論争になっている」

なんだ。せっかく納得できそうだったのに。

「だが、観測していなければもとにもどせる、つまり可逆になる。これが量子力学独特の時間です。そういう技術を量子コンピュータで一所懸命開発している。量子コンピュータは途中で観測しないんです、途中でのぞいてはいけない」

見たいのをじっと我慢するコンピュータ。鶴の恩返しみたいだ。

物理がよくわからなくなってきた。

「物理学は自然を扱う学問ですよね？　そして、熱力学も量子力学も「力学」という言葉がついているように、物理は時間とともに物が変化する現象を扱うのだと思っているのですが」

先生は少し沈黙したあと、おもむろに口を開いた。

「ボールを投げると、飛んで落ちてコロコロと転がって止まるでしょ。しかしこの現象は、力学では解けないんだよ」

は？

「この一連の動きは、従来の力学では解けないんです」

解けないって、そんな。

「自動車はガソリンを燃やして排気ガスを出します。力学で考えると、空気中に散らばった排気ガスが、排気筒にすうっと吸われてガソリンになることがあるという答えを出す。でもそんなことないでしょ。単純にイッツ・ロングである」

先生はさっきもそういっていた。

「だが、この現象は熱力学なら解ける。物理学のほとんどは、力学と熱力学をつぎはぎして理解できるんだ。量子力学が、まさに力学と熱力学が重なったものだとぼくは思っている。まさかあなた、イッツ・ロングでごめんなさいと引き下がるわけにはいかない。でも、単純にイッツ・ロングであることも確かである。死んだのが生きるなんて、そんなことを主張するやつは生かしておいていいの？」

笑ってしまう。

「単純に間違っている。だけどいばっているんだよ、物理学は」

「いばりたいんですか？」

「そう。いばりたいのに間違っている物理学を救うのが、量子力学。ぼくはそう思うね。量子力学は、力学と熱力学は切り離せないといっているのだと思う」

時間の謎を知りたいのに、これ以上何を聞けばいいのだろう。先生はといえば、いそいそと鉛筆を手にする。

「アインシュタインの一般相対論は、時間と空間の力学です」

「一般相対論」の右に「時空」「力学」と書く先生。相対性理論なんて、ほとんどわかっていない。私はかすれた声で、はいとつぶやいた。

「でね、電気とか磁気の学問、つまり電磁気学は、電磁場の力学であるといういい方をする」

と、さきの行の下に「電磁気学」「電磁場」「力学」と書いた。

「電磁場が時空に当たります。いいね？」

はあ……と、私は煮え切らない返事をした。先生はどうしたものかと鉛筆を泳がせる。

「じゃあ、粒子が飛んでいくとしよう。これはものの運動の力学で、ニュートンの理論で説明できる」

先生は三段目に「ニュートン力学」「粒子の運動」「力学」と書いて、下の行から指差していった。

「粒子が飛んでいくのは、ニュートン力学です。そして、電磁場を対象にするのが電磁気の力学です。ね？」

私は文字列を穴のあくほど見つめた。

「それから、時空つまり時間と空間を対象にするのが一般相対論の力学です。いい？」

ただただ文字を見つめる私に、先生は念を押した。

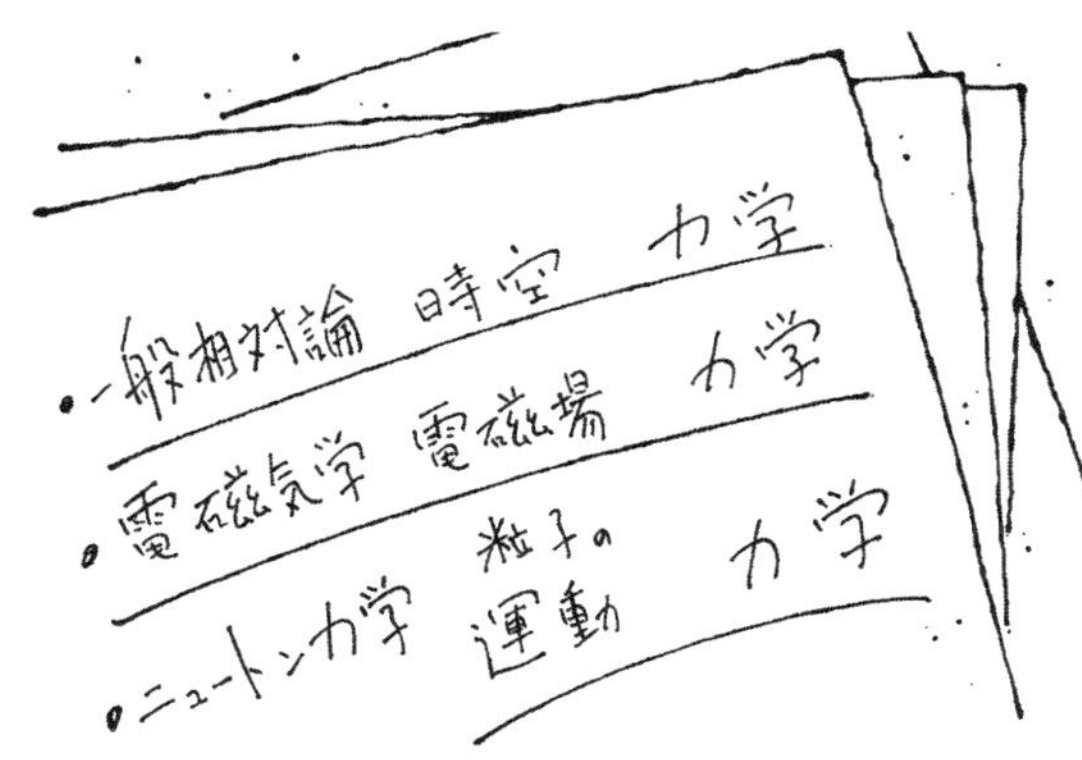

「だから、粒子の運動に当たるのが電磁場であり、電磁場に当たるのが時空なんだ。いいね？」

「あのう、「対象」とか「当たる」ってどういうことですか？」私の問いを無視して先生は続ける。

「えっとね、一般相対論は時空の力学です。電気磁気の学問は電磁場の力学であり、粒子の運動はニュートン力学で……」

先生は書いた字を上からなぞりながら、とうとう笑い出した。

「だから、電磁場に当たるのが時空なんだ」

言葉が投げ出され、私は、はあ、わかりましたと手を打った。すると、先生が急に声を張り上げた。

「あなた、わかるっていうけど！」

「い、いや、とりあえず表にできました」

私はうろたえた。

「わかるわけないよ。形式的に表にできても、わからないはずです」

そんな。

「表にすると、粒子の運動と電磁場が同じ次元に並ぶ。それはいいでしょう。次に、時空もこれらと同じ次元になる。あなた、それで納得するの？」

納得できるわけがない。時空の中に粒子があって運動をし、時空の中に電磁場があると思うから、時空そのものがこれらと同じ位置に並ぶなんて。

「でも、こういう枠にはめて、電磁場が時空になり、粒子の運動が時空になっただけだといえば、表ができるよね。その表を大事にしなさいということです」

ひどいです。私は横目でにらんだ。右に行けば扉が閉まり、左に行こうとするとこっちの扉も閉まる。私は意地になった。

「この表は大事にできません。私は、時間や空間は必ずあるものだと思っています。空間に物がないことならたやすく想像できますが、時空そのものがないことをどう理解したらいいのですか。空間に何かあったら片づけて、こっちにもあったら片づけて、空っぽになります。空っぽになった空間をどこへ片づけたらいいのですか？

時間だってそうです。用意された空間に時間というレールが走っていて、そのレールの上のある点に私は生まれ、ある長さを走ったあと、死にます。死んだあとも時間のレールは走っているので、私がいなくなっても、地球がなくなっても、宇宙がなくなっても、時間は延々と流れ続け、私はずっと死に続けるのではないのですか」

先生は涼しい顔で続ける。

「実感でいうと、時空とそれ以外のあいだにはものすごいギャップがあります。だけど、そのギャップを意識しないように修行しなさいということです。時空を、単なるこうしたものだと考えるんだ。つまり「対象」にしか過ぎないとね」

私はなんとか心を鎮め、大人しく答えた。

「「対象」がなんとなくわかりました。時空の上にさまざまな物理現象があると考えるのではなく、時空も物理現象の一つにするということですね」

「うん。ふつうで考えたら非常識だと思うだろうが、時空も一つの「もの」として、粒子の運動や電磁場と一緒にするのがいまの物理学です。それが一般相対論です」

「一緒にしてしまうんですか？」

「そう、そこが大事なところ。時空が「もの」でないなら、物質も道連れで「もの」でなくなる」

なんだか強引な気がする。「どうしてアインシュタインは一緒にしたんですか？」

「力学を統一的な原理にしたのです。粒子も電磁場も、力学という同じ数理原理で説明できたから、同じ原理で時空を扱ったのです」

と、力学という文字を指の先でトントンとたたいた。

何とか理解しようと一所懸命考える。ゆるがないのは「力学」だ。力学とは、物体と物体の位置の関係みたいなことらしい。「力学を原理とする」とは、物そのものではなく、関係がこの世のありさまを決めるということか。そうなると、絶対的なものだと思っていた時間や空間も、一つの「もの」でしかなくなる、ということなのか……。

「もちろん時空を電磁場と同じ次元で扱うには高いバリアがある。多くの物理学者にもあった。アインシュタインは、そのバリアを力学という視点で突き抜けたんだ。対象に対してもっているイメージより、力学の原理を優先させる」

アインシュタインの、強い意志や自信のようなものを感じた。現実の感覚より、原理を優先させるなんて。この表はそういう表なのだ。この世界に存在するものや現象を、力学で串刺した感じだ。

「でもやっぱり、ものが存在したり現象が起こったりするのは、時間と空間が基盤にあるからだという感じは抜けません」

「それはカントがいったことです。われわれ人間の思考のフレームワークは、時空を前提にする。しかしアインシュタインはそうではない。このフレームを突き破ったから、一般相対論はカントを倒したと話題になったんだ。一般相対論がいっているのは、われわれの世界にはたまたま時空があった。時間は宇宙の部分品、つまり一つの対象なんだ。

物事を解明するとき、対象を見たらわかるというものではないのです。わかる仕組みを開発せねばならない」

たしかに、いまは誰も疑わない地動説だって、人間の実感より現象の背景にある原理を導き出そうとしたガリレオの手柄である。科学が貫いてきたのは、人間の常識的な感覚を疑うことなのだ。

「先生がいいたいのは、こういうことですか？　時間という特殊なものから原理なんて導けない。時間を解明しようとして時間を一所懸命いじっても、意味あるものは出てこないと」

「そうです。この宇宙は、特殊な「われわれの宇宙」です。ぼくらはしょせん田舎に住んでいて、そこから動かない。この田舎でローカルにしか理解できない話を、物理学の大原理だと思ったら大間違いなんだ」

「そこで、あなたが知りたい量子宇宙の時間だけれど」

と、先生はさっき描いた小さな丸を鉛筆でぐるぐるなぞった。

「宇宙空間が膨張していて、しかも膨張の速度が増していることが、アインシュタインの一般相対論から導かれた。さらにそれが観測でも確かめられた。こうして、アインシュタインの方程式は膨張宇宙を説明することに成功した。量子宇宙は、この成功に乗ってその先を考える試みなんです」

膨張する宇宙を、時間を逆回しして過去にもどって見ていくと、素粒子よりも小さくなる。そんな宇宙は量子力学で扱わなければならない、という意味らしい。

「でも、それでいいかどうか、保証はないんだ。まず、それを手がかりに考えてみようとしているだけ。もっと違う理論があるのかもしれない。なのに、量子宇宙で時空が生まれた話を前提にして時間を考えようとしたら、とんでもない方向に間違ってしまう。量子宇宙の話題が物理学の先端みたいに見えて世間の耳目をひくが、先端の話はどうでもいい話なんです」

人びとは新しい先端の話をワクワクして見るから、一番大事に思ってしまうが、世の中に定着した話がいちばん大事なこと。でなければ定着しない。だから量子宇宙の時間なんて、どうでもいい一部分の話なんだ、と先生は繰り返した。

「いま眼前に見ている常識だって変わるんです。過去からいまに変わってきたということは、これからも変わっていくことを意味している。量子力学だってどうなるかわからないよ」

「そもそも科学とは、」

雨がやみ、明るさが増した窓に、先生の横顔がくっきりと浮かんだ。

「権威がこけていく物語なんだ」

権威がこける？

「科学の本質的な進歩は、ある時代まで正しいと思われていた理論がひっくり返ることです」

アインシュタインがこけて孤独になったように。

「相対性理論で、アインシュタインは現代物理のアイコンになった。それまで二〇〇年以上、ニュートンの古典物理が近代科学の規範として君臨してきたが、アインシュタインはニュートン力学で解けなかった難問を解決したんだ」

しかしアインシュタインの登場と前後して、こんどは量子力学という、それこそこれまでの物理の概念をひっくり返すような理論が生まれた。

「こんなふうに、権威がこけることがいちばんの拍手喝采の物語です。それがほんとうの進歩です。しかし、科学を宗教みたいに考える人もいる。

宗教は、ご本尊が立派だという証拠固めをし続ける。科学という営みも、ある原理をひっくり返さないように、証拠を集めていく仕組みだと思っている人がいますよ。でもこれはまったく違います。サイエンスは、先に打ちたてた理論が間違っていることを自分で見つけていくんです。倒そう倒そうと一所懸命やっていく。もちろん立派な理論は簡単には倒れない。しかしそれは進歩していないということです」

科学は自分自身を否定していく。自分で定義したことに固執するのではなく、間違いを積極的に見つけて改善していく。これが科学の批判精神なのだと先生は強調した。

「科学は守りじゃない。しかし、科学もエスタブリッシュすると宗教教団みたいになってしまう。いや、なりつつあると思うね。しかしそれはもはや科学ではないんだ」

第6章　宇宙のはじまりの解明と科学の役割

今日も前と同じ、先生の自宅近くの喫茶室である。

私は数日前にメールを送っていた。

「私の死へのおそれは、永遠というものへのおそれでした。でも「時間がない」のなら、永遠をおそれる必要はないと、かすかな希望を抱きました。そこで、時間がないことをどう考えたらよいのか、その手がかりになりそうな量子宇宙について先生に尋ねたのです。しかし、量子宇宙なんてどうでもいい話題だとおっしゃった。なぜどうでもいいのですか?」

といった。

先生は椅子に腰かけながら、

「今日は何を話すか、決めてきたんだ」

「あなたはどうしても宇宙のはじまりに興味があるみたいだが、ぼくはさかんにはずしているんだ。そんなのに興味をもっても仕方がないからね」

「でも、世の中には膜宇宙とかベビーユニバースといった、宇宙のはじまりを語る本が出ています」

「そのズレがあるんだな。結論をいえば、やっぱり何の意味もないのです。意味がないから話をしていない」

でも、と私はがんばった。「それが何の意味もないことを知るためには、なぜ意味がないのかを知りたいのです」

「それは、歴史的にはこうなんです」

先生は話しはじめた。

「宇宙誕生の仕組みは、物質がどのように誕生したかを知ることで解明されていきます。それが、物質のもとである素粒子の学問、つまり素粒子物理学です。この学問に非常に立派な進展があったのは一九八〇年くらいまでなんだ。二〇〇八年の小林誠と益川敏英、南部陽一郎のノーベル賞は、そこまでへの貢献です。これ以降は何も進展していないのです。たしかに、技術の未熟さのためにできなかった実験が、その後いろいろと行われた。しかしこれらの実験は消化試合のようなもので、この理論が正しかったことを証明しただけです」

素粒子物理学は、湯川博士にはじまるといってもいい。続いて朝永振一郎、南部陽一郎、そして小林、益川と、日本人が大きな貢献をしてきた。

「素粒子物理学は、八〇年あたりで一応終わったんだ。しかし、素粒子物理学者の大部隊は食っていかなきゃならん。そこで、四つの相互作用を統一しようという目標を立てたんです。ぼくは当時、これは「意義ある大型公共事業」といっていたがね」

先生は、科学者を食わせるとか飼っておくというういい方をよくする。

「電磁気力、強い力、弱い力の三つは、このころまでに統一する理論ができた。そこで、その先をつくろうといい出したわけです。重力は扱いが難しくて、統一できていないんだ。いま世間でよく聞く超ひも理論は、それを解決できそうだと思われている理論の一つです」

超ひも理論とは、物質の根源は一次元のひもだとする理論で、素粒子の質量や作用の強さは、ひもの振動によって表されるという。先生の上げ底理論を聞いたときに出てきた話題だ。

「この課題に、八〇年代の中ごろにいくつかの目を見張る業績が出ました。ただし、それらはすべて「理論」です。実験で証明されたことではない」

「実験ができないのですね」

「そう、それが一番の悩みです。理論物理学者が寄ってたかって、さまざまなアイデアを出す。理論上こんな手があるといえば、じゃあこれでもいけるとなって、好きなだけ理論がつくれる不健全な事態になってきた。実験できれば証明できるけれど、それができないからね」

「何でもありになったのですね」

「うん。どれもある程度の説得性があり反証ができない。しかも、ふつうの人がわからないくらいに、ちゃんと難しくできているし、高尚な数学とくっついて高級に見える。さも物理学の進展のように思える」

生き生きと皮肉をいう先生。私はいつも可笑しくなる。

「このときみんながやっていたことは、四つの力の統一ですか？　宇宙の起源を探ることですか？」

「その二つは同じことなんだ。重力を他の三つの力と統一できれば、宇宙のでき方を説明することになるのです」

「ちょっとわかりません。そもそも、「力を統一する」とはどういうことですか？」

「同一の原理のもとにまとめるということでしょう。重力以外の三つの力は統一できたから、この三つを時空の場、つまり重力をもいっしょの理論の中にくる試みです」

「あのう、時空と重力は同じなんですか？」

私はいちいち引っかかってしまい、なかなか本筋に行けない。

「一般相対論で見ると同じなんだ。一般相対論は正しいからね」

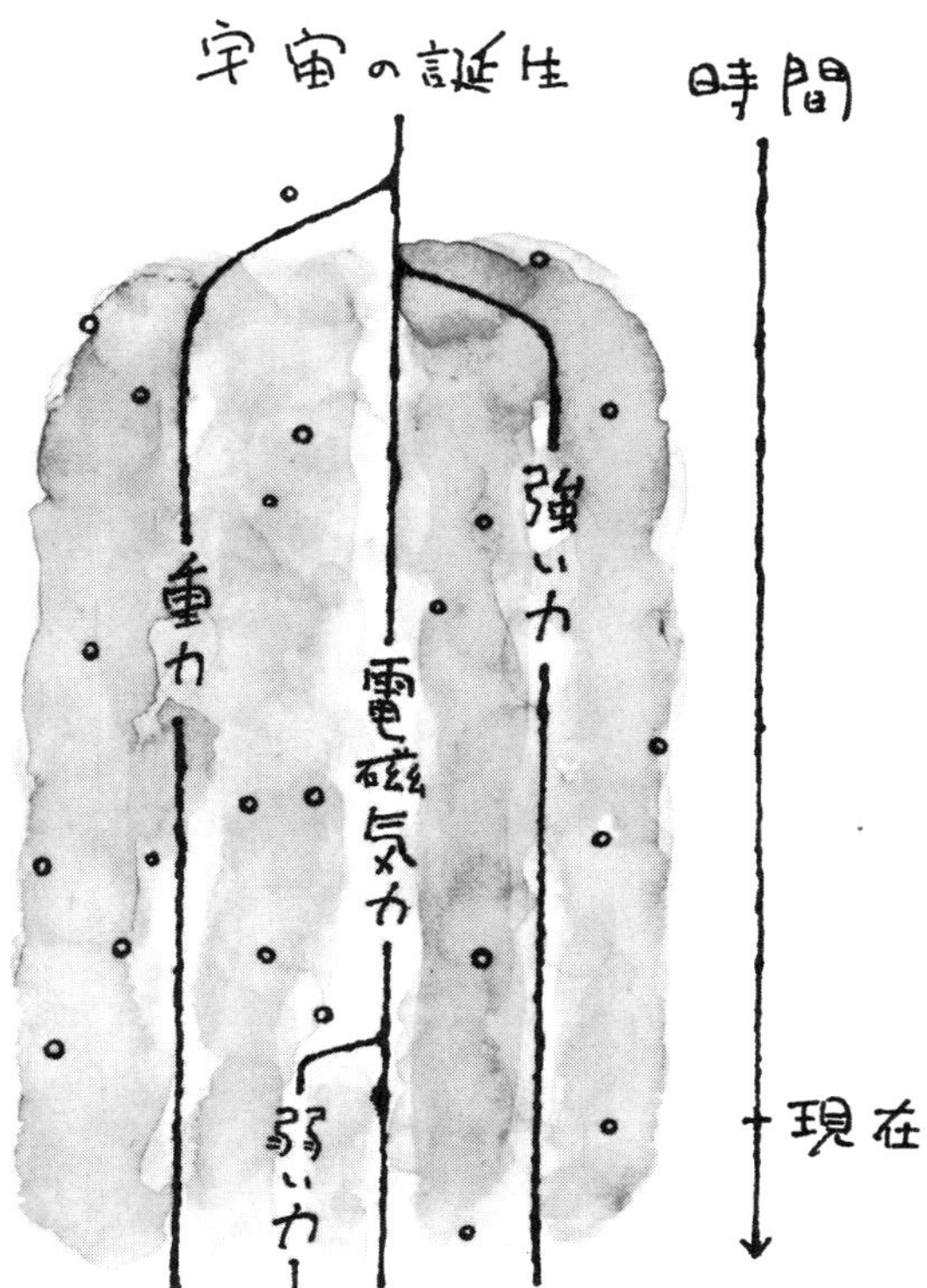
宇宙の誕生
時間
強い力
重力
電磁気力
弱い力
現在

「だから、それはどういうことですか?」

「同じ式で書けるんだ。何なら書いて見せようか?」

「い、いやけっこうです」。私はあわてて力の統一に話題をもどした。

時間が流れている空間があって、そこに重力が作用していて、重力以外の三つの力はこの時空の中で起こる現象だと思ってしまうから、統一するという意味がわからない。これまでと同じ疑問をくり返す。だってこんなイメージしかもてないんだから。

「空間的にイメージしようとするとややこしくなる。そういう発想をしないんだ。数式が書ければ、ありなんだ」

宇宙が誕生したとき物質は存在せず、エネルギーだけだった。エネルギーの状態が変わって重力から力が枝分かれし、他の三つの力が発生した。このときはまだ、力の働かせ甲斐のある物質がなかったので力は作用しなかった。その後クォークが生まれ、クォークが陽子や中性子の中に閉じ込められ、といったでき事が起きる中で、それぞれの力が作用しはじめた……ということらしい。

宇宙ができて四つの力が枝分かれしていった図が、宇宙や素粒子の本によく出てくる。これは佐藤先生と後輩の佐藤勝彦氏が共同で導き出した理論である。目の前の先生が別の人みたいに見えてくる。

「宇宙生成の理論なんて、いくらでもつくれるんだ。アメリカのランドールという科学者なんか、その典型だね。スターみたいに扱われてハーバード大学の教授にもなった。彼女は膜宇宙というイメージしやすい派手な話題を提供した。そんな可能性もあるのかと、専門家にはっとさせる貢献はしたと思うよ」

私も何かで読んだことがある。

「膜宇宙の理論も最初は新鮮なんです。ところが、「宇宙は膜である可能性がある。それは五次元の世界である」と発表されると、六次元でもいける、七次元でもいけると次々に理論が追加される。さらには膜宇宙である必然性はないという理論も出る。だって、説明になるように理論をつくるんだからね。いろんなおもちゃがつくれるが、どのおもちゃがいいかはわからない。こうして九〇年以降は無政府状態になった」

「いろんな可能性というのはね」

と、先生は手もとのメモ用紙に横軸を引き、ぐにゃぐにゃと波形を描いた。

「これは状態のエネルギーを表す曲線だと思えばいい。そして、物事はだいたいエネルギーの高いほうから低いほうにいく」

エネルギーが高い状態は不安定だからね、と先生はいい添えた。

「そして、たとえば磁場がここにあったとする」

と、これは南部などがいい出した理論なんだといいながら、グラフの下に小さな矢印

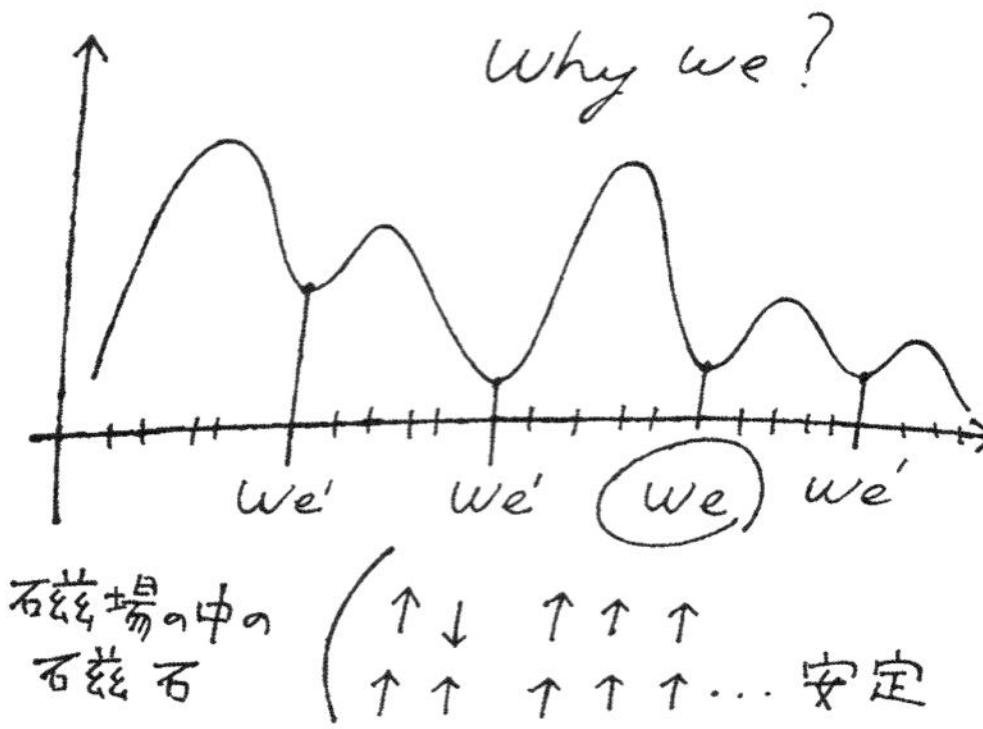

を何個も描いた。

「こんなふうに、磁場の中に磁石がいっぱいあったとき、ぜんぶ同じ方向にそろっていれば理論上は最も安定である。だからどこからはじまっても、このエネルギーが低い状態に収まって安定化する」

と、波形が低くなっている谷底に印をつけた。

「横軸は磁石のそろい具合と考えていい。一つくらいあっち向いてるとか、てんでバラバラに向いているとか、いろんな状態の種類がある」

と、横軸の左から右へ、細かく目盛を刻んでいく。

「さて、現在のエネルギーを調べると山のてっぺんだとしよう。すると、ほうっておいたら不安定なので、低いエネルギーの位置になっていくだろうという議論をするんです」

へえ……。

「物理学はしょせんはそんなものです。物理とは結局、ものの作用や動きや変化を数学で解いていく、数字の大きさの理論なんだ。どんな宇宙があり得るかという議論は、エネルギーが低い所を確定するようなものなのです。でも、周囲とくらべてエネルギーの低い所はいくつもあって、ある人はここだと思うし、ある人はまったく別の枠組みで考えて、いやこの場所だという。結果、どれもあり得てしまう。宇宙の起源などと高尚なことをやっているように見えるかもしれんけれど、現実にやっているのはこんなことです」

ふうん……。

「そして世紀が改まったころに、そういう業界で流行ったのが「ランドスケープ」という言葉です」

「景色、ですか？」

「山あり谷あり、です」

え？

「山あり谷ありですねえ世の中は、という感じです。絞りようがなくて、どうしようもないねという物理学者たちの気持ちを表している」

しょんぼりする天才科学者たち。

「ここに至って、宇宙はいかなるものかという議論から、なぜわれわれはこの宇宙にいるのかという議論に変わった。「Why we?」という問いかけです。わが身もわきまえず、神が考えたごとき大統一理論をつくろうとしたら、自分の居場所の必然性が何もない。そのとたん、わがファミリーのルーツは？という、えらくローカルな興味に変わった。そこで出てきたのが、古くからある「人間原理」です」

この場所がこの場所である理由もなければ、私がこの場所にいる必然性もないらしい。ならばせめて、私のルーツを探りたい、という気持ちになったわけだ。

「人間の体のサイズは、地球の重力の大きさと原子の結びつきの強さで決まっているんです。このサイズだから、脳のキャパシティがある程度大きくて、単細胞のバクテリアではもちえない文化をもった。また、地球がもっと小さかったら水も大気も吹っ飛んでいって生物はすめないし、木星みたいに大きいとガスの密度が濃すぎて、やはり生物はすめない。人間が生まれる条件がたまたまそろっただけなのに、宇宙は人間という特殊な存在を存在たらしめるためのものだという議論にパーっと行っちゃった。これが物理学的な人間原理です」

「科学的な議論という感じがしませんん」

「うん。この人間原理という考え方は、一九世紀の科学でも議論されたものらしい。それから一世紀もたって、宇宙とは何ぞやという議論が絞り切れずに困っていたとき、再びよみがえったんだ。しかし、こんな馬鹿げた議論は科学ではないという反論もいっぱい出てきた」

「素人なりに私もそう思います」

「そう。科学はあらゆることを必然として説明してくれると期待して、宇宙を解明してきた。じっさい、「物質のもとになる元素も天体も、膨張宇宙の進化のなかで誕生した。炭素が非常に多かったから、われわれの体の大部分は炭素でできていて……」と、非常にポジティブに説明してきた。しかしその先、つまり時空がどうして生まれたかという議論あたりから、収拾がつかなくなってきたんです。このへんから素粒子物理学は退廃したんだ」

手厳しい。

「ぼくらは何かを解明する目的があって、難しい算数を書いている。なのに、難しい算数を書いていれば、それが科学だと勘違いするようになったんだ。あなたいったい何をやりたいんですか？　という社会問題です。しかも、収拾がつかなくなって人間をもちだしてきた。人間を問いたいなら、比叡山に行ったほうがいいんだ」

痛快である。

「いや、ぼくだって、現実のサイエンティストはそんなに馬鹿なことをやっているとは思わんよ。ただ、これは覚えておいたほうがいい。数学的に理論はいくらでもつくれるんです。それがサイエンスの一面です。こんな難しいことがわかる人がいるんですねと世間は驚くけれど、訓練すればわかる人間は掃いて捨てるほどいます。京大で長いこと教授業をやってきたからわかる。しかし、それだけではなんぼのものでもないんだ」

どんなに偉い先生が出した理論でも、その可能性を実験で確かめていくことが、サイエンスの健全性なのだ、偉いアインシュタインが出した理論だからありがたいのではなく、実験で証明されるからその理論が偉くなったのだ、と先生はいった。

「でね、ここ十数年じっさいに進んでいるのは、これなんです」

と、先生は大きく「観測的宇宙論」と書いた。

「いちばんいいのは観測ができる事柄です」

さっきから先生が批判している何でもありの事態は、宇宙理論という分野の話題である。先生がいま話そうとしている観測的宇宙論は、それとは違う。

「NASAが打ち上げた宇宙探査機で、宇宙がいまより一〇〇〇分の一と小さかったときの姿をとらえることができたんだ。宇宙全体がムラムラと曇ったようになっている画像です。このムラムラが成長して、銀河などの天体が形成されていったのです。こうした観測が、ここ一〇年ほどでひじょうに進展している」

このムラムラ宇宙は、火の玉状態の宇宙が膨張して冷めてきて、光がまっすぐ走れるようになったときの時代だ。

「今後もどんどん観測が進んで、この時代からいままでのことがバーっと解明されていきますよ、きっと」

「もっと前の宇宙がどうだったかは、観測できないのですか？」

「うん、これより過去は曇って見えないんだ。光がまっすぐ来られないからね」

「機械の性能が悪いのではなく？」

「機械ではなく、宇宙が見通しの悪い状態だからです。遠くが見えるということは、そこから光がまっすぐ来ることだが、密度が高いと光が曲がってしまうから見えない」

「今後、いくら技術が進んでも、見ることはできないのですか？」

「電磁波では見えません。ＮＡＳＡがとらえたムラムラ宇宙は、曇っていたときと晴れたときの境です。これが「宇宙の晴れ上がり」です」

先生の名言である。

「ノーベル賞物理学者の小柴昌俊さんが「佐藤文隆の業績は、宇宙が晴れ上がるという言葉をつくったことだ」なんていうんだ。ほかに何もしていないみたいだな」

先生は愉快そうに笑った。

「二〇年ほど前には、遠方の超新星を観測することで、宇宙は加速度的に膨張しているという発見があった。これが二〇一一年のノーベル物理学賞です」

あれは、そういう業績なのか。

「この発見と、さっきのムラムラを詳細に分析することで、宇宙の年齢や宇宙が何でできているかが計算できっちりはじき出されたんだ。観測的宇宙論は精密科学の域に達したといわれているね。暗黒物質もこれによって発見された」

暗黒物質は、前に私がもち出して大失敗した話題である。

「引き算した余りを暗黒物質とよんでいる。従来の方程式の欠陥かもしれないし、アインシュタインが可能性として指摘したものが姿を現したともいえます」

「以前は、膨張した宇宙が再び収縮に転じるのではないかといわれていたそうですが、それは間違いだとわかったのですね」

「いや、だからそこをごっちゃにしてはいかんといっている」

あ……。

「観測で知ったのは加速膨張していることであって、それ以上のことはまだこれからなんだよ」

そうか……。

「観測の進展とは対照的に、時空の起源を探る試みはいろんな理論のオンパレードという不健全な状態です。観測の立派な進展に便乗しようと理論屋はすぐに持論にひっつけるが、実際は途中に何段階もあって、両者はほとんど無関係です。観測が理論を証明するまでには、まだ何段階もあるんだ。へえ、この結果はおたくの理論に当てはまりますか、でも他の人の理論にも当てはまりますね、とまだまだ絞りようがないんだ」

「いまは、現在のテクノロジーで可能な観測を粛々と続けるべし、ということですね」

「そういうことです。現実への知識をできるだけ豊富にする段階なのです」

「実験で証明することで、理論に決着をつける。しかしその実験が初めて事業仕分けの俎上に上ったのが、一九九三年ごろの米国のSSC中止事件です。あれでぼく自身の考え方がひじょうに変わったんだよ」

SSCとは、一九八八年に当時の大統領レーガンが、鳴り物入りではじめた巨大加速器の大計画である。

「加速器は、一周が何キロもある巨大なリング状の装置です。リングのトンネルの中を、素粒子を光速に近い速度で走らせて衝突させるんだ。衝突させると、素粒子の構造がくわしくわかる。このとき、原子核が帯びているプラス電気の反発に逆らって原子どうしを近づけるために、高エネルギーをかけて加速させます。そのため実験装置は巨大になる」

だから、莫大なお金がかかる。

「科学に使うお金が社会のほんの一部だった時代はいいけれど、実験にとてつもないお金がかかるようになって、社会政策とのバランスが目に見えて悪くなった。アメリカのSSCの中止は、そうした時代に差しかかった分岐点だといえる」

大統領がクリントンに変わり、冷戦体制が崩壊して国家の威信をかける理由も薄くなって、国家予算を科学技術より医療費に使うことを優先した決断だった。

「ぼくらが現役のころの、科学にお金がそんなにかからなかった時代は、科学への予算要求はたやすく通った。しかし科学が巨大になったら、社会政策とのバランスを取らざるを得ないんだ。科学に希望を託す明るい話題も必要だという単純な話ではすまない。いくら政府に科学への理解があったとしても、そういうレベルの予算規模ではないもの。アメリカのSSC中止は、まさにそういう話だった」

実験が気楽にできない時代に入ったのだ。

「金がかかるのは実験装置だけではない。研究者の人件費も相当なものです。一九八〇年代に入ったころ、素粒子の理論が完成して素粒子業界の役目は一応終わったけど、働いている人はいっぱいいる。だから、しばらくは「大型公共事業」をやって食っていかないといけない。ぼくもこの時代にいろいろぶち上げてる。いまはそうした体質を批判しているけど、ぼくも変わるんだ」

先生はすましたた顔でいった。

「「むかし佐藤先生が、この公共事業をみんなでやれといったからやってきた。どうしてくれるんですか、私の人生」といわれるが、やってみたら何でもありという結末が見えてきたんだ。ぼくはいっていることが一貫していない」

私はしばらく笑い続けた。

「科学のことは科学者に任せればいいと、さかんにいわれた時代があった。それが学問の自由だとね。このイメージを引きずりながら科学の業界はどんどん巨大になった。それなのに、さきにいったランドスケープみたいに、他の科学や社会との接点をもとうとしない「科学のための科学」みたいなことを続けるのは、科学業界にとっても社会にとっても不健全なんだ」

大震災と原発事故で、いま科学は必死になって社会との接点をもとうとしているようにも見える。

「科学は何のためにあるのか。これは、知識は何のためにあるのかという問題と同じです」

最初のころ、知識というもののとらえかたを間違っていると、先生に叱られたことがある。

「ぼくは前から、知識にはふたとおりあるといっている。足す知識と入れ替える知識です」

入れ替える？

「新しい知識を得たとする。そのとき、自分の知識のおもちゃ箱に新しく一つ加えるみたいなのが足す知識。でもこういう知識はしみ込まない。だが、もともとつまっていたものと入れ替える知識は、しみ込みます」

もともとつまっていたもの……？

「どんな人だって、この世界について何かしらイメージをもっているはずです。「水の流れのようだ」とポエティックにとらえる人もいれば、この世はすべてお金だと思う人もいる。言葉にできなくても、誰だって何かについて何かを思っていると思うよ。知識の箱は、こうしたガラクタで大部分が埋まっている」

私は自分のおもちゃ箱を、頭のまん中にずるずると引っ張ってきた。

「人は、新しい知識が入ってきたとき、このガラクタと入れ替えるんだと思うね」

私のおもちゃ箱には何が入っているんだろう。

「真実を知ってそれまでの誤解を解くことを「正す」という。「正す」とは入れ替えることです。物質のもとは原子より小さいクォークだと知ったとき、いままで原子だと思っていた知識と入れ替えているんです。なのに、次々と新しいものを買ってきて箱をいっぱいにしていくのが科学だと考えている人がいる」

「たしかに最近の科学の知識は、それまでの知識とは無関係の、人から聞いた話が大部分です」

「しかし科学は本来、そうではないんだ。たとえば「熱」です。熱はまず体で感じている。そのあと、「いや、熱の正体は実は運動なのだ」と科学の知識が入ったら、熱についての新しい知識がしみ込むのです。

ぼくはよく小学生の前で話すんだ。親が連れてくるから熱心なんでしょう。あたかも科学好きな子たちで、最近のいろんな言葉を知っている。ぼくの話が終わったあとにわーっと手を挙げて、クォークはなぜ四世代がないんですかと聞くんです。こんな知識は、科学の大事さとはまったく逆のことです。アイドルの名前がこうで持ち物は何で、ということと同じことです」

「きっと自慢したいのでしょうね」

「頭のいい子の自慢話も、しみ込む知識へのきっかけになることはある。しかし最近は、世間の話題が次々変わるから、しみ込まない知識がジャージャー流れてきっかけにもならない」

「クォークのことは、小林さんと益川さんのノーベル賞受賞ではじめて知りました」

「そこから先にもっと考えればいいんです。だけど、最近は次々と受賞するからね。ぼくらの時代のように、湯川さんがノーベル賞を取ってあと二〇年は受賞がないだろうといわれれば、その発見のきっかけはなんだったんだろうと、何度も反復して考える。これが「正す」という感覚です。筋道をつけて整えていく感じだな。基礎的な科学が一般の人に役立つのは、この正す役割だと思うね」

私たちは、いっぱい足し算していけば、頭の中にいっぱい知識が入って賢くなると思っているのかもしれない。

「新しいことを聞いたって、何かとの関係でなければ頭をすうっと通り過ぎていく言葉にしか過ぎない。逆に、いちばんしみ込むのは「あなた、それは間違いだ」といわれたときです。一番グサッとくるよね。むっとなる」

私も先生から、それは間違いだといわれ続けた。

「人は勉強する歳になるまでに、ぽわーんとしながらも何らかのイメージをもってきたはずです。それを一つひとつ入れ替えていく。無感覚に足し算していくのとは、ぜんぜん違うのです」

つまっていた知識と入れ替えた知識が、ほんとうに身につくというわけか。

「昭和初期あたりまで、科学を学ぶことは社会的にはびこっている迷信と戦うことだった。つまり、迷信と入れ替えるという位置づけだったのです。雷が鳴るのは天のたたりだと人が騒げば、いや雷はたたりとは何の関係もない電気ですよ、とね。こうして、迷信はパブリックな知識のレベルから消えていく。何らかの思惑をもった人間が、たたりだとあおって世の中を誤った方向に導くことを、一つひとつなくしていくのが、科学の役割だった。科学は、社会をマネージする役目をになっていた」

しかし、それが変わってきたと？

「戦後も、そして高度成長期に入ってこれからは科学の時代だといわれたときも、この役目は健在だった。しかし七〇年代か八〇年代あたりで、そうではなくなったね。とくに最近は、クォークが三つだとか四つだとか、膜宇宙とか、知らない言葉や知識をつけ足すのが科学の話題についていくように思っている。知識とはどこかから拾ってきて追加するものではない。いまわれわれがひたっている世界の誤りを正していくのです。それを、まったく未知のものを、無感覚に……」

と、先生は吐き捨てるようにいった。

「最先端の科学は、見えないし触れられないし、直感を伴わない無感覚なものです。物質の根源を知ったからといって、明日からの生活がよくなるわけでもない。人びとの世界にないものは正す必要もない。「鬼神を語らず」に通じる話です」

そしてちょっと苦笑いした。

「ぼくもかつては公共事業を推進してはしゃいできた。ぼくも悪いんだけどね」

「あのね、原発事故をどう収束させ、放射能をどう止めようかと思えば、自然の知識がいる。知識とは、人類が困難にぶつかったときに対処するためのものです」

先生は「知識」と「対処」と書いて、矢印でつないだ。

「何かを知りたいと、よくいうでしょ」

ええ、と私はうなずいた。私も、死の謎の手がかりを宇宙に探りたい、そのために宇宙が知りたいといって先生のところに来たのだ。

「何のために知りたいの？ と聞いたとき、答えは二つある。一つはいまいったように、対処するための知識です。でも、なかには「とにかく知りたいことがあるからだ」と言う人がいる」

誰でしょうね。

「「なぜ山に登るのか。そこに山があるからだ」といういい方は、いかにもかっこいい。私に発見されることを待っているものが、そこにあるからだとね。そういうのを聞くと、ぼくは「ほんとうに待っていたんですかね？ なら、あなたが生まれる前は誰を待っていたんですか？」と聞きたくなる」

先生らしい。

「こういう言葉は感動的だが、通用しない。ぜったい騙されないんだから、ぼくは。感動しない男なんだ」

はい、そのように聞いています。

「立派な人間とはどういう人間か。一つは、日々自分がやっていることに確信を深めていく人。あるいは、毎日反省して日々改まる人もいる」

「先生は、じつは後者ですね」

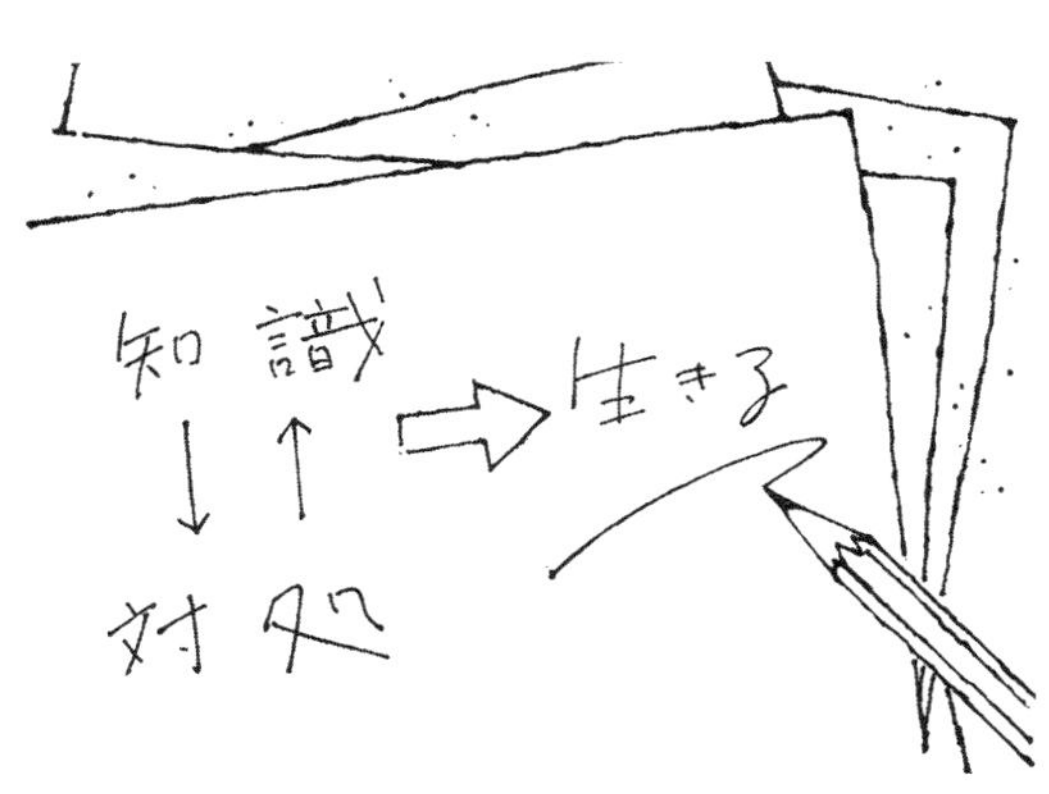

「うん。それから他人のいうことに感激するという人がいるが、人のいうことを信じたらえらいことになるという人もいる」

「先生は明らかに後者ですね」

「そう。人のいうことは自己点検用で、感激は危険である」

ことあるごとに、食えない男だとか、感動しない人間だと自己評価する先生。星空を見上げても涙が出ないといっていたが、月から見た地球の姿が好きだという。部屋に飾ってあるらしい。

私はそんな先生から、人間への強い信頼を感じていた。でもこのことは、先生にはいわない。

「対処するための知識とは、役立つ知識といい換えてもいいのですか？」

「ええ、まったくそうです。ただ、何の役にも立たないと思っていたのが、結局すごく役に立ったということはある。役立つかどうかわからないけれど、取っておかないといけないという例は、歴史を見れば累々としてありますよ。ただしシンプルに、役立つ知識でなければならない」

何をもって役立つというのか、という議論もあります。

「役に立たない知識も大事だという人がいるが、役に立たないのはダメです。その上で「役立つとは何か」を論じたほうがよい」

先生は次に「知識」と「対処」の横に「生きる」という言葉を書き足して、矢印をつけた。

「知識を得て対処ができ、対処するために知識を得る。知識と対処は行ったり来たりして、それが生きることだという意味です」

「この矢印は逆ではないのですか？　生きるために知り生きるために対処する、と」

「いや、そうなると話が急に下品になる」

え？　と首をかしげた私に気づいたのか、先生はそっとつぶやいた。

「上品に生きたいからね」

「がつがつ生きないんですね」

先生の声はさらに小さくなる。

「まあ、そういうことです。ぼくの美学です」

「さて、少し時間を置こう。ぼくがこれまで話したことを、あなたが消化するために」

もう少し話を聞きたかったが、たしかにいまの私には時間が必要だ。ちょっと寂しい気がしたが、提案に従うことにした。

人間原理　人間カナリア

鉱山のトンネルでは毒ガスの検出が大事であり，ガスに弱いカナリアを籠に入れて検出器とした．簡単にコロリといってしまいそうな人間を検出器にすれば，人間を生き残してきた宇宙の詳細まで探求できる．　　　　（画：佐藤文隆）

第7章　学ぶ意味、生きる意味

死を安らかに受け入れるための言葉を科学者から聞きたいと、私は先生のもとを訪れた。そして先生が語る物理の話の先に、死や生につながる話が聞けるかと耳をすませ続けた。しかし周りをグルグル回るばかりで、核心に迫れない。いや、先生は私のレベルに合わせて話をしているからだ。私の知識が未熟で、核心に迫る質問ができないからだ。先生が別れ際にいったように、ともかくこれまでの話を消化しなければならない。

私は相対論や素粒子や力学の本を読み直し、ああこの話がわからない、この意味がわからないとつぶやきながら、夏を過ごした。

夏から秋へと季節が変わった。あいかわらず手こずっていたが、何の成果もなしに先生に会うことはできない。そこで前と同じように、自習した知識をもとに先生の話を整理して、長文のレポートを書き、もう一度会いたいとメールを送った。二、三日して返事が来て、やっぱりおそるおそるメールを開いた。

「魂が入っていない。佐藤との接触を通じて、あなた自身の考えがどう変わったのかがまったく述べられていない」

血の気が引くようだった。そして話が違うと思った。先生が死をどうとらえているかを知るために、先生の話を理解しようと努力してきたのだ。これまでずっと、「先生を知る」ことに心を砕いてきたのだ。これじゃ落第だということか。

メールはまだ続いていた。

「物理や宇宙の話は、私はこれまでくどいほどいっぱい書いている。しかし、今回はあなた流の理解が大事なのである。佐藤の話は自分のテーマに関係ないな、という気になったかどうかです」

私は画面を前に唇をかんだ。

京大前の進々堂である。秋晴れのすっきりした空気が心地よい。店に入ると今日はすいている。窓辺の席に座った。

間もなく先生がやってきた。今日もどこかを歩いてきたのだろうか、上着を手にもち、半袖のシャツ姿である。窓から差し込む日差しは暑く、冷たいコーヒーと紅茶を注文した。私はテーブルにメモ用のノートを広げ、押し黙ったまま先生が話し出すのを待った。

「あなたはしきりにわからないという。いろいろ本を読んでそれなりに知識を得たのだろうが、数理の訓練を経ていないあなたが、私の書いたことを理解しようとしても無理である」

先生は穏やかにいった。

「あなたが理解すべきことは、それがどういう性質の知識かということです。この前、何のために知識はあるのかという話をしたよね。あなたが物理の知識をくわしく知ったところで、意味はないと思うが」

悔しいけれど、そのとおりだと思った。だが、私にもいいたいことがある。どう切り出そうかと思いながら、いま先生がいった、何のために知識はあるのかというフレーズを心の中で反芻したとき、私ははっとした。先生は前にいったことがある。

「そういう道を経てきたぼくと、あなたが遠くからぼくを見て期待していたこととのギャップが、一種の学問論だな」。

私はずっと、先生から死についての考えを引き出すつもりで話を聞いてきたけれど、先生の関心事は「学問は何のためにあるか」だったのだ。

あのとき、先生はこうもいった。

「まずは、あなたが知りたがっていることを片づけよう」

と。だけど私の問題は、まだ片づいていないのだ。

「あなたは死と生が宇宙に関係あると思って、私の所に迷い込んできた。しかしイメージしていた科学者と違った私を見て、驚いた」

「そのとおりです。でも……ちょっと違います」

私はようやく口を開いた。

「先生が学者としてやってきたこと、つまり宇宙や相対論をはじめとする物理の探究を通じて、死や生をどうとらえているかを聞きたかったのです」

物理学だけでなく、哲学や思想や歴史にわたる幅広い知識と、その本質を見きわめる眼をもった人だと思って、そんな先生の話を聞きたくて門をたたいたのだ。迷い込んだんじゃない。勇気をふるって飛び込んだのだ。手探りで一所懸命進んできたのに、迷わせたのは先生だ。「でも、宇宙や時間の話をいくら聞いても、死や生につながらないのです」

先生はちょっと首をかしげた。

「物理では人間はわからない。まして死や生などわかるはずがない。ぼくは折に触れいってきたはずだが」

私は思わず先生を見た。先生は宇宙の仕組み、素粒子のこと、そして物理の時間を話した。そのたびに、たしかにこういった。物理的に解明された宇宙で人間を語ることはできない。死は社会的な言葉であり、死の永遠性は物理の時間とは別物である……物理の話の先に見えてくるかもしれない死や生への手がかりを聞きもらすまいとして、こうした言葉が耳に入らなかったのか。

でも、と私は食い下がった。

「そのとおりかもしれませんが、ならばその上で、先生が死をどう考えるかを聞きたかったのです。自分のことを話すなんて思いもよらなかったのです」

私がどう考えたかなど、先生にとってはどうでもいいことのはずです。私は自分でもしつこいかなと思うくらい訴え続けた。すると先生はいった。

「そうもいかなくなったんじゃない？」

私は何をいえばよいかわからず、ふたたび黙りこくった。それを救うように、先生は口を開いた。

「宇宙なんて、物理学から見たらしれた話なんだ。物理学を適用する応用分野の一つにしかすぎない。しかもいまどき宇宙物理なんて、物理の最前線でもなんでもない。あなたは遅れてやって来たんだ」

……悪かったですね。

「だいたい、宇宙から物理の世界に入ってくるからややこしいんだ。斜めから入ってかき回すから、わからなくなるんだ」

先生はため息をついた。私は可笑しくなって、「これでも正面突破を試みたのです」とつぶやいた。しかし、途中途中で渡された「出口はあちら」の地図をポケットにしまい込んだまま、物理の塔をうろついていたのだろうか。やっぱり勝手に迷っていたのか。

「物理学とは何ですか」

いまさらながら尋ねた。

「ぼくが一番いいたいのは、物理学者によって物理学とは何かの答えが違うことです。文系の学問なら、作品をそれぞれがいろんな解釈をする。カントの解釈も人によって違うよね。これは当たり前のことだとみんな思っている。でも理系になると、物理学者はみんな同じことをいうものだと世間は思っている。だがそれは間違いなのです」

だいたいぼくは、物理学のマジョリティにはならないように生きてきたから、物理学とは？　と問われると困るんだ、と先生は苦笑した。

「物理学は、自然のメカニズムを引っ張り出してくるものだとあなたが思っているなら、ぼくの考えと違う。私は人間がつくった手法だと思っている」

「人間がつくった？」

「そうです。小柴さんがノーベル賞をもらったときのインタビューで、面白いことをいっている。モーツァルトとアインシュタインはどっちが偉いかという話です。アインシュタインがいなくたって、あとの誰かが相対性理論を見つけただろうが、モーツァルトがいなきゃ、あの音楽は生まれなかったと小柴さんはいうんだ。芸術はクリエイティブな営みだが、科学は拾いもの競走だという見方です。アインシュタインは、早く拾っただけだとね」

私も、科学とは自然にもともとある法則を人間が見つけてくるものだという感じがしていた。

「だけどぼくは、両方ともクリエイティブなものだと思っている。科学も、つくることの上手、下手じゃないかとね。クリエイトするには自然の仕組みを学ばなければいけないが、そのうえであくまでもクリエイトしたんです」

先生はクリエイトという言葉を強調した。

「クリエイトというと芸術の専売特許みたいだけれど、ぼくは科学も同じだと思う。ただし、それが上手か下手かをチェックするのは、人間ではなく自然だがね」

「自然がチェックする？」

「クリエイトした理論なり法則は、実験で自然によって客観的に審査されるんだ。でなきゃ役には立たない。今度の原発事故みたいに、これでいいよねと人間の集団だけで決議しようとしたって、ダメなものはひっくり返る。そこが芸術とは違うところです」

知ったことからその先を予測して、また実験して検証する。こんな地道な積み重ねで知識の範囲を広げていくのが科学である、と先生はいった。

「立派だからとか尊いからではなく、すべて実験によってつかんでいく。ただし物理は、実験でわかったこと一つひとつを具体的な知識として伝えるわけではない。そこから法則性を見出して、数式にして一般化するのが、物理学独特の手法なんだ。この手法がある物質でうまくいったら、別の対象に広げていく。こうした手法を延々と受け継ぎ、さまざまなものに適用して、あくまで足もとから広げてきたのです」

私はこのとき二つのことを理解した。

人間はそのとき立っている場所から探索してきたし、科学がどんなに進んでも、わかったことから広げていく態度が大事だと先生は考えているのだ。

そして、物理法則は人間がつくったものだというその意味は、物理法則とは人間がそのように自然を見た見方なのだ。

「物理や科学の理論は、人間の思考様式に合うようにつくっているんだと思うよ。だって、人間のものの考え方というのは、しょせんは人間が納得するかどうかだからね。なのに、人間を離れた所に何かあってそれを学ぶのだと考えるのは、間違っている。宗教みたいに、人間を離れよう離れようとしても、離れた所には何もないと思うけどね、ぼくは」

「物理学は、実験して測定して出てきた法則性を、数学の形で書き表す手法です。ニユートンは、物体が落下する法則を微分方程式で表した。これは、マクロの自然を描写するためにニュートンが編み出した手法なんだ。それから二〇〇年後に放射線が発見されたが、このミクロの自然はニュートンの数式では表せなかった。そこで新しく登場した数式が量子力学です。いずれも自然の中に数式があったわけではない」

哲学者や文学者は言葉で、作曲家は音符で表現するように、物理学者は数式で表現する。「この現象を描写するには、足し算か掛け算か」「この現象が暗示する法則は、割り算の概念なのか」と考えながら、数式を組み立てていく。この組み立て方に、その人の創造性が発揮される。物理の方程式は、その物理学者が自然をどう見ているかの表現であり主張なのだ。

このとき物理学者は、美しい数式をつくることに専門性をそそぐ。

「自然をありのまま写すのではなく、この法則性でとらえるのがいいんですよと、人間に訴える。そこには、すっきり見せるとか粋に見せるといった、美的感覚で表現しようとする科学者の心性がある」

物理学者が希求する美しさの一つは、簡潔さである。アインシュタインが「自然は単純で美しい」という信念をもって、「$E=mc^2$」というＴシャツに書けるくらいの短い数式で、世界を貫く法則を表した。先生はこれにしびれたという。

複雑な自然をいかに簡潔な数式で表すか。これには直感や想像力が重要になる。しかし間違えてはいけないのは、この直感や想像力は専門性を鍛えたからこそ働くものだ。また、それまでの科学の成果の蓄積に支えられている。$E=mc^2$ はアインシュタインのひらめきだが、その背後にはたくさんの科学者の仕事があるのだ。

「それに、新たな何かを発見したといっても、それが世の中に受け入れられなければ、発見とはいわない。受け入れられてはじめて、第三世界の共有財産になるのです」

先生がいう第三世界とは、人間が積み重ねてきた文化のこと。言語や宗教や文学や科学といった、知恵や精神や手法の蓄積のことである。科学の成果は、世の中という第三の世界を積み重ねるためにあると、先生はいっているのだ。

「ぼくはくどいほどいうけれど、物理学は一つの手法にしか過ぎないんだ」

物理学の探究はそれ自体が目的ではなく、世の中に役立たせるためにある、という意味だ。

「物理にかぎらず、すべての学問は手法です。だけどぼくは、ビッグバン宇宙を華々しく語っていたときはそう思っていなかった。物理が世界を支配しているみたいに思っていた。それ見ろ、物理はすごいやろ、みたいにね」

先生が一九八〇年代に書いた本には、顕微鏡で宇宙を見るというフレーズがよく出てくる。宇宙を、素粒子物理というミクロの物理学の視点で解明することを自負していた時代である。

「顕微鏡で見た宇宙というのは、宇宙を原子や分子や素粒子でバラして見ているわけです。これは物理学です。だが、それでわかることもあればわからないこともあるんだ」

「でも私は先生から、宇宙を物質として見なさいとずっといわれてきたと思っているのですが……」

「ぼくがやってきたのはそういうことです。しかし、トータルとしての宇宙はそんなものではないでしょ？　人間は分子や原子に分解されるけれど、人間とはそういうものではないのと同じです。たしかに分子や原子のレベルで見ることによって、医療に有用な知識がたくさん手に入る。しかし、悩みは物理学では説明できない」

それはそうだが……。

「科学は、専門家と称する人がやっている。専門という言葉には、プラスイメージとマイナスイメージがある。大学紛争の時代は、専門という言葉が軽蔑された。象牙の塔に閉じこもった専門バカだとね。ところが最近は、専門的というと高尚に思ったりする。同じ言葉でも時代によって価値が転換するが、正しい意味でやはり専門なのです。科学者は専門的に自然を見ている。つまり、自然をトータルには見ていない。一つの手法で見ているにすぎないんだ。だからぼくが顕微鏡で見るというのは、自慢しているんじゃないんだ」

「そうだったのですか?」。私は思わず声を上げた。「宇宙に死と生の答えを求めて、私は先生の所にやってきました。すると先生は、宇宙はきわめて物質的なもので、そんなものを宇宙に求めてはいかんと言下に否定されました。顕微鏡で見た宇宙が正しいとおっしゃっているのだと思っていました」

「いや、誤解です。宇宙は得体のしれないものです」

ええ!? 私はただただ先生を見つめた。

「あなたは物理が理解できなくて気持ちが悪いというが、ぼく自身、ぐさっときた経験がある。一五年ほど前に、心理学者の河合隼雄といっしょに日本文化論の本をつくった。ぼくはそこで、西洋科学が日本に入ってきた明治時代の話を書いたんだ。

物理にほれ込んだ福沢諭吉は、身の回りの自然現象を科学の目で見て自然の仕組みを知ることが、日本社会に必要だと説いた。それにくらべて現代は、身の回りにあふれているハイテクの仕組みを誰もわかっていないとね。すると河合隼雄が、ぼくのこの文章を受けて最後にこう書いた。佐藤文隆はこんなことをいっているが、彼は自分の体がどうして動くのかぜんぜんわかっていない。知らなくても使っているじゃないか、とね」

「先生も昔は、学問とは使える、つまり役立つかどうかではなく、知への探求そのものが学問だと思ってやってきた。そういうことですか?」

「全面的ではないが、いまよりはそうだったね。ぼくのように純粋科学に携わる人間は、世の中に役立つとか役立たないは考えず、知りたいことに挑戦することに価値を見出そうとする。山があるから挑戦するという価値観です」

「しかしこの前、先生はおっしゃいました。山があるから登るなんて馬鹿げていると」

「ぼくはたいへんな情熱家で、山があるから登るんだと生きてきた」

私は絶句した。

「そんな人間に見えないかもしれないが」

「見えないも何も、そんな態度をきっぱり否定されました」

「いまは違うからね。生きてきた人生を語ってくださいとよくいわれるが、一つの人生なんて嫌いだから、ぼくはガタガタと変えているんだ」

私は笑いが止まらない。

「だから、騙されちゃいかんといったんだ」

仕返ししておこうと思った。

「先生は情熱の人だと、うすうす感づいていたのです。先生の文章には抑えた情熱が見え隠れしている。短歌がそうであるように、簡潔の美を希求する心性の背後にあるのは、パッションです。ぼくは食えない、感動しないといい放つのは、自分でバランスを取っておられるのです」

「それもあるでしょう」

先生もたくさん笑った。

「現役のときは、ぼくも宇宙だ素粒子だと一つひとつの対象を追いかけてきた。だがそのあとは個別の対象を考察するのは卒業して、理論の位置づけを考えてきた。つまり、量子力学とは何か、さらに学問とは何かをね」

「でも科学の世界では、「量子力学はわからないけれど使える」と、この理論の不可思議さを解明するのを棚上げして、さまざまな分野に応用してきたのではないのですか？」

「うん。量子力学とは何かを誰も悩まないから、ぼくが悩んだんだ。そして、量子力学は手法だと思うに至った。つまり、わからなくても使えればいいという結論に達したのです。量子力学は対処法です。学問も同じです」

だけど、ぼくも昔はそう思っていなかった、と先生はいった。

「ぼくの人生もややこしいんです。山形の田舎の高校で、世の中の役に立つには何をすればいいんだろうと思った。それが物理学だった。ノーベル賞物理学者で核兵器に反対するオピニオンリーダーでもあった、湯川秀樹へのあこがれです。

ただしそのころは、物理学の中身なんてわからなかった。その後、大学院に入ってまじまじとこの世界を見ると、じっさいには他人に勝たないといけない、狭い競争の世界だった。学問とは、すぐに世に役立つものでもないんだなと思ったね。湯川秀樹は例外で別格だったんだ。しかし外からは例外しか見えないのです。罪な人なんだ、あの人は」

湯川博士への複雑な敬愛の念をにじませる先生。

「そのあと三十代半ばで国際的に名が知られ、ちょうどこの時代はぼくの学問分野であるブラックホールやビッグバン宇宙が流行ったから、その時期はその時期でたっぷり生きてきた。その残滓にあなたが引っかかったんだな。いまになって、華々しいこの時期のことを若者に熱く語ってくださいといわれると、気恥ずかしくなっちゃうんだ。調子よくやってきちゃったなあとね」

ほんとうに恥ずかしそうにうつむいた。

「でも、社会変革に燃えて学問を志した精神は、ずっと底流に流れていたはずです」。私は、先生がこれまで書いてきた本を思い出しながらいった。

「そうだな。たしかに昔からすねていた」

先生はまたそういういい方をする。私は微笑んだ。

「物理教室に閉じこもらないで外のいろんな世界を見たから、そこで広い視野ができた。それと、前にいったＳＳＣの中止事件です。素粒子物理学が人類の最先端だと思っていたのが、冷戦の崩壊でつまずいた。自分がやってきたことは何だったんだろうと思いはじめたんだ。だけど、大研究室を主宰していたから、簡単には放り出せない。佐藤の名前を聞いて入ってきた、おおぜいの大学院生への責任があるからね」

しかし定年を意識して、もともとくすぶっていたものが出てきたんだ、と先生はいった。

「そしていまは、すべての学問は手法だと考えている。学問は役に立つためにあるという意味です。量子力学もそうだと思っている。震災のあと、これを確信したんだ。ちょっと飛躍だけどね」

「量子力学をどう見るかは、物理学者の中で昔からいろんな議論がある。量子力学の困難なところは、確率でものをいうところです」

電子の運動は量子力学で説明する。すると、電子が存在する場所は確率でしか表せない。

「確率とはつまり、未知のことに対する予測です。天気だって地震だって確率で予測するしかないし、それに基づいて人びとは対策を考える。原発事故もそうです。これからどう展開していくかを確率的に予測することで、何を優先的にやるべきかを知ろうとする。こういう具合に考えていくと、量子力学は対処の学問だと思ったのです。物事に対処するときの、高度に数理的な手法であるとね」

量子力学は、われわれが何をどう選択すべきかを判断する手法として使えるのだと、先生はくり返した。

「科学的な予想はどこまで行っても確率なんだ。起こったことは確定的だが、未来のことは確率でしか予測できないのです」

科学が進んでも？

「うん。科学がもっと進歩したら、確定的にいえるのだと思いがちだが、イッツ・ノット(It's not)です。どこまでいっても不確定です。物理学と聞くと、決まっていることを方程式で表す確定的な手法の代名詞みたいだが、物理学もいまは確率論です。ふつうの人もそのことをわかって、物事を確率で発想できる社会にならないといけないんだ」

たしかに、未来のことは何一つ確定的ではない。右足の次に左足を踏み出す確かさは一〇〇パーセントではない。でき事はこの瞬間に過去になって確定していくが、この瞬間から先のことはどんなことでも確率でしか表せない。人は後ろ向きに歩いているようなものだ。

「不確定だからいいんです。でなきゃ、死ぬまでを計算機にかけて結果が出てくるなんて、つまらない」

先生はふと、手もとのメモに鉛筆を走らせた。

「ぼくが気に入っている言葉に「現実は可能性の束である」というのがある。政治学者の丸山眞男の言葉です。彼は、世の中を可能性の束として見て、そこに政治の役目があるといっている」

「現実を現在といいかえれば……」

「そう、彼がこれを語っている箇所は、量子力学のいい分とぴったりなんだ。希望がある言葉でしょ。量子力学も、いま現在はいろんなものの束であり、まだほどけてないといっているんだ」

ただね、と先生は続けた。

「統計や数字で議論するときは、非常に注意しないといけない。数字自体がいい加減だという意味ではなく、数字とわれわれの感覚は間(ま)を取りにくいのです」

間を取りにくい？

「統計的な数字で表現されても、一般の人はどう行動すればいいのかわかりにくい。いまの情報科学のテクノロジーは、一万分の一と百万分の一の確率を、違う扱いをすることで成り立っている。しかしふつうの人にとって、この差なんて無感覚なものです。確率という数字統計理論は、こうした非対称性があるんだ」

非対称性？

「確率が示す意味や価値は、立場によって違うということです。たとえば、放射線の影響が一〇〇万人に一人の確率でしか出ないといわれても、その一人が自分かもしれないという感覚は抜けない」

その気持ちはよくわかる。

「しかし行政対応には有用な知識です。こんなふうに、ある確率がいっぽうの人には不安にかきたてるものに見え、いっぽうには役立つものに見える。統計でものを語るときは、この非対称性を知っておかねばならない」

先生には、まだ迷いがあるらしい。量子力学とは、自然の何かを表した法則というより人間がうまくつくった道具だとみるべきか、というあたりをさまよっているという。

「半導体もレーザーもＤＮＡ解析も、さまざまな先端技術は量子力学を使っている。こうした個別の対象をさばく言葉みたいなものだろうと思っているんだ、最近は」

私には具体的な中身がわからないけれど、量子力学とは、たとえば数字みたいなものだろうか。数とは何かを一所懸命考えてもわからない。しかし私たちは、数字を使うことで上手に生きることができる。

「そう理解してもいいだろうね。使ってこそ生きてくるものです。何にでも使えるということは、そのもの自体は具体性がないことになる」

知識とはそもそも、人類が困難にぶつかったときの対処法で、使ってこそ役に立つのだと先生はいった。

「対処法というと、低次元の小手先みたいに思われがちだが、そうではない。人間は複雑で、扱いに苦労していることの七割は精神的なものです。精神的に大きくぶれて悲劇を味わったことが、歴史を見てもいっぱいある。私も含めて一時的に熱狂した社会主義だって、ガタガタと崩れてみると私の人生は何だったのかとね。こういうことはできるだけ起こらないのがいい。そのために学問、そして知識はあるんだ」

他の生き物と違って、人間だけは論理的に整理して記録に残し、知識を伝えることをする。これは第三の世界をもっている人間だけである、と先生は続けた。

「雷は電気の作用だという知識が世の常識になって、あおりが鎮まったように、正しい知識がじわじわと人びとの常識になっておかしなあおりが起こらないために、学問がある。学問は、パブリックに役に立つためにあるのです。非常に古臭い価値観ですよ。だがこれは、ぼくが学者になるときの心意気です」

先生はよく、パブリックに貢献せよという。公共というと、個人に対立するもの、つまり個人の自由を制限するものというイメージがある。

「ぼくは、個人と公共を独立した二つのものとして考えない。個人の自由や幸福は、他者によってもたらされるものであり、他者によって実現する。それが公共です」

先生は自分の指先を見つめながら、

「ぼくは自由と民主主義が好きなんだ」

と笑った。

「そのためには、みんなが賢くなることが非常に大事なことだと思うね。それが社会を安定させると思うからです。賢くなって自立しないといけない。ぼくがいう「けなげ」とは、超能力的なものに頼らない「自立」という意味でもあるんだ」

その言葉を、私もそうとらえるようになっていった。

「福祉はどうでもいいという意味ではない。人間は必ず手助けがいる。しかし、文句ばっかりいって、じゃああなたは何をするんですか？　ということです」

「非常によくわかります。私には何ができるかという視点で考えたいと、いつも思っています」

「それが民主主義に望まれる人間像です。この旗を降ろしてスーパーパワーに頼ろうとすると、人間の平均レベルが下がってきます。無理なことでも目標として掲げて、一人ずつ努力しないといけない。スーパーパワーな人なんていないんだ」

自立は苦労ではない。誰かに頼るほうが精神的には苦痛で、そんな人生面白くないはずだと先生はいった。

「要するに、みんなが幸せにという気持ちです。ありきたりな話で申し訳ないね」

目を伏せてはにかんだ。

「しかし世の中のことを、もうちょっとシンプルに考えてみる必要があると思うよ。だいたい、人間とか人の幸せとか、しょせんはしれた話なんだ」

心底そう思っているのだろう、しれた話なんだと繰り返した。

「人と人がうまく結びつくと幸せなんだ。一九七〇年代の初めにポーランドに行ったときの、子どもじみた驚きがある。ワルシャワの街中で、夕方になると男女がいっぱい出てきて夜遅くまで路上でダンスをするんだ。当時の日本の社会は、懸命に仕事をしてお金を稼ぎ、大金を払って高級な店で女性と楽しむというのが男性の価値観だった。でもワルシャワの街では、まるっきりタダで男も女も幸せなんだ。これは強烈な印象だったね」

人は、好きな人とじかに会うだけで幸せなんです。

「昔みたいにフォークダンスをすればいいんだ。いまだと、携帯だメールだと、あいだにツールがいっぱい入る。そのために電気も食ってね。電気なんて暗いほうがいいのかもしれない」

震災の話をいうとね、と先生は改まった口調でいった。

「ぼくは『科学と幸福』で、私は原爆の知に目覚めたと書いた」

「ええ、読みました。「子ども心に、原爆はすごいと感銘した」と」

日本人の多くが原爆の惨状を知ったのは、原爆投下より何年も経ってからだ。一九五二年に講和条約が発効されるまでは、ＧＨＱによって報道統制がされていたらしい。先生が原爆の知に目覚めたのは一九五四年。ビキニ環礁でアメリカが水爆実験をして、近くでマグロ漁をしていた第五福竜丸が放射能に被曝し、核実験の拡大や核兵器の増強の恐怖を世間が認識しはじめたときである。このとき先生は高校生だった。

「ぼくが物理学を学ぼうと思った原点は、ビキニ事件なんだ。世の中は死の灰で騒ぐ一方で、原子力発電がスタートする。人類の未来は原子力だとね。原子力発電と死の灰が降ってくる話は、高校生のぼくにとってはいっしょだった。どちらもワクワクする話だった。原爆は間違っていたとさかんにいういっぽうで、それを人類の平和のために使えば未来は素晴らしいという意識が、原爆の惨禍を経験した日本でさえ共存していた。ソ連も原子力で未来をつくるといっていたから、日本の左翼も原子力の推進者だった。

なにしろ原子力はまったく新しい技術だから、古い社会の枠を壊す、輝けるシンボルだったのです。湯川秀樹のノーベル賞にも刺激されたしね。彼の研究分野は原子力だと、ぼくは思っていたんだ。原子力と湯川のテーマである素粒子の違いは、田舎の子どもにはよくわからなかったな」

山形の田舎で、人類のフロンティアを開拓せんとする科学に心躍らせた佐藤少年。

「じっさい当時の科学は、アイソトープで病気を発見するといった、高度な放射線医療の技術が話題になっていた。そんな高価なものが田舎の空から降ってくるのなら、集めて売ればいいじゃないかと思ったほどです」

『科学と幸福』に、先生は書いている。少年のころ、科学にはほんとうに一点の非もなかった。原爆のあとも公害など科学の「誤用」が起こったが、それでも科学自体の道徳性に疑問を生ずるものではなかった、と。

この告白に、哲学者の中村雄二郎氏は書いている。佐藤文隆は正直だと。科学がおもしろいというのは原爆がおもしろいというのと一緒であるはずだ。誰もいわなかった本音を、佐藤文隆がいった、と。

中村雄二郎氏はこの話を人間の知のリビドーにからめて、科学者の知的好奇心や探究心は、快適さや便利さを追求するにとどまらなくて、人間としての根深い欲望に根ざしているのだといっている。

「原爆をつくったりすることが、科学者にはワクワクすることなんですよ。だけど、科学者の根性が悪いから原爆をつくったのではないと思う。オッペンハイマーを先頭に、ロスアラモスで原爆開発に没頭した科学者たちは、あの時代が人生で一番楽しかったといっている。ぼくにはよくわかるんだ、それが。おそらくぼくだって、率先して行ったと思うね」

わかるような気がする。

「フォン・ノイマンという数学者がいてね、量子力学に残されていた矛盾、簡単にいえば決定論と確率論との矛盾を、数学的にきれいに整理した天才です。そのあと、彼は第二次世界大戦やベトナム戦争に数学者として貢献する。オペレーションリサーチで才能を発揮して、敵を最高に苦しめる数理理論をいっぱいつくっている」

オペレーションリサーチとは、ある目的のために、与えられた条件で最大の効果を発揮する方法を、過去の統計などをもとに数学的に導き出す手法である。

「世間から見たら、世界を支配する法則を探る学問と戦争とはなんの関係もないが、数学では同じなんです。それをワクワクしてつくっている。ベトナム戦争が失敗して、さすがにアメリカでも彼のこうした行いを偉いとはいわなくなるがね。そんなノイマンを、イメージがどうのこうのと見ていたら、本質は見えてこないんだ。ノイマンの評価なんて、簡単にわかってたまるか、という思いがあるね」

簡単にわかってたまるか……投げ出されたこの言葉が、心を波立たせる。

「時代にもまれ、惨劇や過ちを背負いつつ、それでも懸命に進んでいくのです。科学も科学者も」

人間の知恵を積み重ねた科学。その巨大な力で未来を切り拓く高揚感。そして未知のものに手をかけることへのおそれ――科学とは、冷静に客観的に分析し理論や技術をつくり上げていく営みだろうが、同時に芸術と共通する心のうごめきがある。ただし科学は、芸術とは違って人間の生命や人類の生存に関わる。私は時代に翻弄された科学者たちのことを思う。

「科学者という人種は、原爆のような悪魔の知への挑戦であっても、嬉々として熱中してそれを達成する。このときに作用したのと同じ能力と情熱が、科学のフロントを拡大させている。両者に差はなく、どちらにも転化するのです」

先生は強い調子でいった。

私はこのとき理解した。最初に会ったときに先生がいった「騙されてはいけない。科学者は恐ろしい連中だよ」という言葉の意味である。なぜこんなことをいうのか。挑発しているのかとも思った。

そうではないのだ。先生自身が科学者のリビドーを自覚しているからなのだ。はじめて会ったときに感じた先生の謙虚さの理由は、そこにあったのだ。

そして先生はきっぱりいった。

「だから、科学はシビリアンコントロールすべきなのです。科学者が自由にやればいいというものではない」

でも、と私は尋ねた。「一九五〇年代に、原子力発電の導入に慎重であるべしという、湯川博士をはじめとする科学者の意見もあったけれど、政財界は原発を推進してきました。シビリアンコントロールの行き着いた先が、今回の事故だと見ることもできないでしょうか」

「ぼくがいっているのは、そういう意味合いではない。市民が選択するべきだということです」

口調は明確だ。

「科学者にしかできないことがあるし、それを社会がやらせることは必要です。だが、そこに人類の善はない。彼らが開発しようとしている技術が、人類に必要かどうかを判断する知恵は、彼ら自身にはないんだ」

ではどこにあるのだろう。

「きっとどこにもないんです。賢人に決めてもらおうという人がいるが、ぼくは大嫌いだね。市民社会がコントロールして、科学がもっている力をパブリックに有効なものとして引き出さないといけないんだ。民主主義で、多数の合意で決めるしかないんです」

でも、市民が科学を選択できるのだろうか。

「しなければならないんだ」

と先生はいった。

「医者はひとの体にメスを入れる。人びとが医者の専門性を信頼して、メスを入れる権限を医者に与えているからです。だから、医者は高い倫理観を持たねばならない。しかし、医者が倫理の権化ではない。科学者も同じです。科学はその専門性で世の中に寄与しているが、最前線では危ないことに手を染めてもいる。だから科学の営みには理念や倫理が必要です。しかし、科学者自身が理念の体現者ではない」

科学者も間違うのだ。

「専門に没入していくと、当たり前の判断を見失うことがある。市民はふつうの感覚にもっと自信をもって、科学を採点できるくらいにならないといけないのです」

「しかし、私たちは科学を採点できるのでしょうか?」

高度な科学は、私たちには理解できない。

「科学の中身を採点しなさいというわけではない。民主主義社会では、市民は政治をチェックする。政治とは、われわれ市民が寄り添って生きていくためのシステムだからです。科学も、そのシステムにつながっている。科学の成果を社会にどう生かしたいのか、市民は科学予算の使い方にもっと関心をもって、チェックしないといけないという意味です」

それが、先生のいうシビリアンコントロールなのだ。

私は、ずっと不思議に感じていたことを尋ねた。

「先生は、学者としてエリートコースを歩いてこられた。なぜ、そうした考えをもち続けることができるのですか」

「それは、物理学者という職業とはまったく関係ないことです。教育のない母親がいったことを、忠実に守って生きているだけなんだ。人に迷惑をかけるな、偉そうにするなとね。

大学院なんて突拍子もない所に行くというなら行けばいいが、人に迷惑はかけるなといわれたのはこたえたね。あの時代から、博士号を取っても就職できない問題があった。迷惑をかけるなとは、自分で食っていけるようになりなさいという意味です。相対論がわかったって、急に偉くなったように思うなと肝に銘じたね。しかしこんなことは、人にわざわざ語るような話ではないんだ」

「われわれは選択を間違うかもしれん。しかし間違ったなりに選択するんでしょう。それを引き受けて前に進むしかないんです。だから民主主義はたいへんですよ」

ベターな選択をするためには、われわれはどうすればよいのだろう。

「第一次世界大戦で負けたあとのドイツは、いまの日本みたいに政権が次々と代わり、超インフレになり、隣ではソ連が誕生したりと、騒然とした状態になった。そんなとき、社会学者のマックス・ウェーバーが学生団体に頼まれて講演をする。学生たちは彼に救いの言葉を求めたんだ。しかし彼はまったく別のことをしゃべったから、会場は怒号に包まれた」

先生は私が広げたノートに、次の言葉を書いた。

現実の代わりに理想を、
事実の代わりに世界観を、
認識の代わりに体験を、
専門家の代わりに全人を、
教師の代わりに指導者を。

「これらは学問の敵だと、彼はこのときいったのです。理想や全人や指導者を学問に求めてはだめですよ、とね」

世の中が混乱すると、人びとは現実の代わりに理想を求める。事実を見たくなくなる。頭で考えることを否定し、体験したことこそ真実だと思う。専門家の権威がなくなってトータルな人を求める。つまり知識の中身ではなく、「あの人がいうことなら信用できる」と、その人を信じるか信じないかが判断基準になる。

そして、教師ではなく指導者を求めるようになる。

「このときのドイツの不安と熱狂が、その後どこへ向かったか？」

ナチス政権である。

「ナチス政権は、何回も選挙を重ねて、きわめて民主的につくられたんだ。これはまさに、専門家の代わりに全人を、教師の代わりに指導者を要求したドイツの人びとの意識だった。学問でもテクノロジーでも最高の国だったドイツが、結局は指導者を求めた」

マックス・ウェーバーの警告は、その後の歴史を見るとそのとおりだった。

「社会が非常に揺さぶられたときには、こういう傾向が出てくるんだな」

混乱のいま、われわれは冷静に長期的に対処していかなければならないのだと先生はいった。

「いまは、何が正しいかということだけに意識が集中している。しかし、あることが正しいかどうかは、いつだって確率的にしかわからないんだ」

量子力学が、世界は確率でしか記述できないことを私たちに教えてくれている。

「ほんとうの民主主義とは、私たちで決めるということ。われわれがどう選択するかです」

選択したものは、自らで引き受けなければならない。

「それがいやなら、中世のようにカリスマに従いますか？　しかし民主主義は、人びとを抑圧から解放したんだ。近代に人びとが切り拓いてきたこのシステムを、もうしばらくやってみるべきやと思うね」

私はうなずいた。

「今度の大災害もまさに、自然は人間のことなど気にはしてないことを悟らせてくれる。だから天を恨んでも仕方ない。人類が営々として築いてきた工夫と知的自由を磨いて、自分で生きていかねばならないんだ」

今回の事故では、人間が築き上げた「工夫」が人間を脅かした。

「われわれ人間の行為の是非をチェックしてくれる監督者は、われわれのほかには存在していないのだよ。われわれ自身で、けなげに、この事態にこたえていかなければならないのだと思う」

私が先生から感じていた、人間に対する強い信頼がどういうものかわかった気がした。おびただしい災害や争いをくぐりぬけながら、人間が積み上げてきた知と精神に敬意を払い、未来をそれに懸けているのだ。積み上げるのも壊すのも人間がやってきたことで、それを引き受けながら人類は進んでいくのだ。

自然に対峙してつくり上げてきたいまの世界を失敗作というのなら、自然に逃げることが解決策ではない。そもそもわれわれが「自然」と認識したものは、人間と離れた手つかずの「自然」ではない。これまで積み上げてきた知を受け継いで、前に進めと先生はいっているのだ。

その中で、科学は何ができるのだろう。

「科学が、幸福とは何かという問いへの答えをもたらすわけではない。ただ、幸福のために科学を役立てることはできる。科学は、近代社会がつくってきたある種のツールです。道具は使いようなんだ」

「あなたがぼくに最初に問いかけた、死についてだけれど」

窓の外の澄んだ空気が、少しかげってきた。

「私だって、何もなくなることに何も感じないわけではない」

私は道を行き交う人びとを眺めながら、先生の声を聞いていた。

「しかし、第三の世界に何かを残して、そこで記憶という形で生きながらえたいという思いがある。ぼくは学者として生きてきたから、科学の知を残したいと思うが、人によってそれなりに残すものがあるはずです」

家族とか友人といった身近な対象に、何かを残す人もいる。そこは多彩であると先生はつけ加えた。

「物理・化学的な肉体だけで生死をとらえると、息苦しいしガツガツする。人間は精神的な動物だから、そっちを大事にするべきだと思うね」

ずっと前から私が抱いていた、世間が老病死を異様に嫌うことへの違和感は、そういうものだった。物質として生きながらえることばかりに目が行くと、何かをゆがませる気がする。

「ぼくが第三の世界で生き続けたいと思う気持ちは、宗教と同じようなものかもしれない。ぼくは、宗教がいうあの世を支えにすることは潔しとしないから、そこにはいかないけれど、同質のものでしょう。人類は宗教という、うまい仕組みを考えたものだと思うね」

「死に夢中になるなともいわれました」

「そうです。「死」に意味をつけたりしない。一種の修行です。禅がそうですよ。誰もが禅みたいなことはできないが」

先生は静かに話し続ける。

「ただ、人間を磨くことはできる。オリンピックみたいに、人間の能力に挑戦しているのがぼくは好きです。よく飽きもせずマラソンなんかを見てるわね、と家内にからかわれるが、ああいうのが大好きでね。科学の分野でも、挑戦していくことが人間として意味のあることだと思うね」

先生は、私が持参した本を手にとった。震災の前に出版された先生の本『職業としての科学』である。

「ぼくはここに、ポール・ヴァレリーの言葉を引いている。宗教や芸術はどこの文化圏にもあったけれど、ギリシャは特別だとヴァレリーは考えています。

ギリシャは、科学精神を生んだヨーロッパ文化の根で、そこでは人間を磨くことを究極の目的にしている。知識や精神面だけでなく、肉体の美しさも含めて、人間は人間をモデルにするのがギリシャの精神であり、われわれの精神でもあると、ヴァレリーはいっています。彼は芸術家だから、彫刻にも目を向けている。ギリシャ彫刻に運動選手の姿があるのは、磨かれた人間を表現したいからでしょう」

私は、本のその箇所を指でなぞった。

「ぼくは、こうした人間を磨くという考え方が非常に好きです。スポーツもそうです。科学で専門性を鍛えることもその一つでしょう。

ぼくはずっと、文化や芸術や科学といった、人間が積み重ねてきた第三の世界の素晴らしさをいっているが、そこに目が行くことが大事なことだと思うね。そこで人類とともに生きていくことです」

はじめて会ったとき、先生は永遠に生きるすべについて話してくれた。

「第三の世界に名を残したいという努力です。人間を磨いて、完全に自分がなくなったあとも、第三の世界の中で生き続けたいと思うことです。こういう気持ちをもつことは、非常にポジティブでいいことやと思うね。死ねば物体としてもどってくることはないでしょう。でも、第三の世界は残る。死んだあとも第三の世界に伴走することが、幸せでもあり救いでもあると思うね。そのために人間を磨くのです」

私は先生を見送ったあと、ノートをしまって店を出た。夕暮れの中、百万遍の交差点まで歩いた。先生の姿はもう見えなくなっていた。

顕微鏡で宇宙を見る

宇宙を感じたり認識したりするチャンネルは実に多様である．素粒子や原子の学問で宇宙を探ることは顕微鏡で宇宙を見ることである．プレパラートに銀河系をはさんでいる．

(画：佐藤文隆)

エピローグ

はじめて先生にお目にかかってから一年が過ぎました。いま思えば、最初に先生から投げかけられた謎めいた言葉を、解きほどいていく一年だった気がしています。私はようやく気がつきました。先生は、はじめに答えのすべてをおっしゃっていたのですね。

いったい私は、どういう思いで科学の門をたたいたのでしょうか。出発点は、死にまつわる私の個人的な体験でした。そのことから、老病死を拒否する世間の風潮に違和感をもったことでした。この背景には、生命操作に代表される、最先端科学への反発がありました。そこまで科学が手を出してよいのか、私たちはそこまで科学に求めてよいのか、という疑念です。

死は自然なことのはず。ではあなたは死を自然に受け入れられるのかと問われれば、答えはノーです。だから死への恐怖を安らげたかった。そのための言葉を得たいと思ったのです。

死は、宗教や哲学でさんざん語られてきました。しかし宗教や哲学が語る死は、私にはあまり響かなかったのです。浅はかなことを承知でいえば「ものは考えよう」という感じをもっていたのです。いっぽう、実証を積み上げて確かなものを探求してきた科学者が語る、死についての実感——それは科学的なものではないけれど——のほうが、私の胸にすとんと落ちる気がしたのです。

これは、私がやってきたこと、つまり取材して書くという、現実に目の前にあるものから組み立ててきたことと関係あるのかもしれません。あるテーマを追いかけて、その場に行き、場面を見て、本人に話を聞く。こうして対象を追っていくと、あるとき何かが浮かび上がってくることがあります。それは直接見たり聞いたりしたことではないけれど、「ああ、そういうことなんだ」と身にしみて何かをつかむことがあります。

それに似て、科学という実証を積み上げる学問に取り組んできた人が、死について実感した何らかの思いがあるなら、それを聞きたいと思ったのです。

私は科学への期待と反発を同時に抱きながら、先生に手紙を出しました。

先生に会って、こんな科学者がいるのか、いえ、こんな人がいるのかと思いました。そして近づけたと思えば遠くなる、とらえどころのない気分を抱えたまま、科学の話を聞きました。

先生に「宇宙に死の答えを求めるな」といわれるほどに、むしろ先生がそうおっしゃる理由を聞きたかったのかもしれません。そして本来の目的を忘れ、宇宙そして科学に死の答えを求めるようになっていった気もします。

そんな中で三月一一日の惨禍が起こりました。震災のようすはテレビの映像を見るしかなく、何も手につかない日が続きました。

先生に話を聞く動機となった友人の死と、一度に万を超える人が亡くなったことをどう考えればよいのか。こんな「のんびりしたこと」を考えていてよいのだろうか、と思いました。そして、言葉を失う体験をした人たちが必死に、そして黙々と生活を続け、関東に住む友人は「今日生きるためには汚染された水だって飲むわよ」と憤然といい、私は、何があっても人は前に生きていくしかないのだと思いました。

そんなとき、先生が新聞紙上に書かれた「宇宙の大きな仕組みの襞（ひだ）に這いつくばって進化してきた人類の、自然の中での身の置き方を考えさせられる」という一文を目にしました。

おそらくこのときからです。私の中で、死は少しずつ後退していきました。

それでも先生の話を聞き続けたいと思ったのは、佐藤文隆その人を知りたいという気持ちに変わっていったからだという気がしています。そのあと続く物理の話も、死を知るためというより、先生の視点がどこにあるのかを探りながら聞いていたのかもしれません。死について知りたいと訴え続けてはいましたが、先生の話を追いかけるうちに私自身が大きくカーブしていきました。

以前の私なら、三・一一を経験して、科学とか合理性とか知識という言葉に単純な反発を感じ、自然に寄り添って生きようと主張していたと思います。ですがいまは、それは少し違うと思っています。

先生は、市民科学者だった高木仁三郎氏が安易な自然主義を批判したことに同意しつつ、こう述べられました。

「歴史を見れば、科学の力は人間を抑圧から解放してきた。科学は贅沢を支えているというよりも、人間としての自由や尊厳を支える基盤だった。農業も自然利用の一形態であり、けっして手つかずの自然主義ではない。自然の猛威と格闘して、押し合いへしあいでどうにか治めていた姿ともいえる」

そして次のようにいわれました。

「自然への従順だけが強調されると、その社会思潮は個人の自由や尊厳の主張を排除する抑圧的な風潮を助長しかねない。歴史にはその例を多く見ることができる。また自然への没入が強調されると、合理性を基盤にした人びとの対話の尊重も抑圧されてくるだろう。自然を物神化し、人類の運命をそれに預けるべしという風潮が横溢するだろう」

先生がいわれた、1＋1＝2から出発する合理性のことが、少しわかった気がします。かつて科学に絶望して超越的なものに救いを求め、原理主義的で排他的な宗教集団に走った若者がいました。また震災後の、科学の装いをまとった感情的な発言が人びとをあおるのを見て、合理性に基づいてあおりを鎮め、社会を整流していくことが科学の本来の役割であると先生がおっしゃったことは、そのとおりなのだと実感しました。そして、対話は合理的な思考の上に成り立つものだということも。

物事を冷静に見つめ、複雑な事態に耐えて、一つひとつときほぐしていく強靭な知性と思慮深さが、私たちに必要なのだと思います。私は先生から、そういう態度を学びました。同じ真似はとてもできませんが、先生のこの態度を記憶に刻みます。

先生の話を聞き、著書を読み、反芻する。これを繰り返しているうちに、死はさらに後退していきました。そのかわりに浮かび上がってきたのは、現在を生きることでした。

先生はたとえばこんなことをおっしゃいました。「宇宙を旧約聖書のように語るな、現在を土台にしない知識に意味はない」と。あるいは、「真空、つまり何もないという言葉の無意味さは、根源という概念の無意味さと同じである」と。

「宇宙のはじまりは」といったとたん、その前に宇宙はなかったことを前提にし、「時間や空間が生まれた」といったとたん、その前に時間も空間もなかったことを前提にしていることに気づきました。そして、こうした言葉で考えることの無意味さを知りました。科学がいえるのは「そこに何があります」ということだけ。そこからフロントを広げていくのが科学の態度であり、どこかで発見されるのをじっと待っている真理を拾う営みではないのですね。

『科学と幸福』のあとがきで、先生はこう書いておられます。「科学とか幸福というものがまずあるわけではない。あるのは人びとが生きていくということである」。先生がよくおっしゃる「公共」もそうだと思います。公共というものがまずあるわけではない。人びとが生きていくから公共が生まれるのである。あらかじめ誰も何も用意してくれてはいない。私たちがつくるのだということに気づきました。自分から遠いものを定義したり探したりしたって、何も生まれない。「いまこの位置から、そしてこの現在から出発せよ」。先生はそういっておられるのだと思います。

そして、死や生もそうなのだと思いました。死は生きた結果である。生をじゅうぶんに生き、その結果の死であるなら、それもよしと思えるようになりたいと。

いっぽうで死というとき、実は真っ先に思うことがあります。笑われそうですが、私は子どものときから、何かを決断するとき「どうせ人生はこの一度きりなんだから」と思っては勇気をわかせてきました。小さいころのつまらない勇気であっても、そんなふうに思いました。小学校のプールで一〇〇メートル泳ぎ切ろうと、おぼれそうになりながらそう思いました。

先生に手紙を出すときは、ほんとうに勇気が必要でした。人生はこの一度きりなんだから、と勇気を奮いました。自信や勇気がなくてためらったとき、いつも「人生この一度きり」と思って決断してきた気がします。

死が生を支えている。死ぬからこそよく生きられる。ありふれた言葉ですが、実感です。

私は、人間はどこから来てどこへ帰るのかの答えを宇宙に求めて話を聞き続けましたが、先生は地上のメカニズムと変わらない物質的実在としての宇宙を話され、死の解答を宇宙に求めるな、物理で人間はわからないのだと何度もおっしゃいました。

私は当たり前のことにやっと気づきました。どんな賢者も、死はこうですと示すことはできないのですね。先生がもし明確に示されたとしたら、それは信仰としての宗教になったでしょう。

信仰をもつ人は、死とは、そして生とは何かを教えてもらえるのでしょう。しかし、信仰をもたない人間は自分でつかまなければならない。いや、自分でつかむことを選ぶ。学問は、自立するためにもあるのだと思います。

ただ、先生はこんなことをおっしゃいました。

「生まれるのも死ぬのも、細胞はどちらもちゃんとした手順で変化する。それを区別しているのは人間である。人間を分解すると分子や原子になり、これらは死んでも憎たらしいことになくならない」

星の死によってばらまかれた元素が私たちをつくり、肉体は死んで大気の元素の一部にもどるのでしょう。私は先生のこの言葉を聞いたとき、友人から聞きかじったイスラム哲学の「存在が花する」という言葉を思い出していました。

宗教に救いを求めることを潔しとしない先生の感覚は、私にぴったりくるものです。同時に、心の中にある宗教的なものを否定しないことも、私も同じです。

これを踏まえていうのですが、「存在が花する」という言葉は、根底のところで溶け合ったものから目に見える形で姿を表したものが現実のさまざまな存在であるという、何かほっとさせる、永遠なる孤独はないと慰めてくれるような言葉です。

では先生はどういう意図で先の言葉をいわれたのか。お尋ねしたくもありましたが、よしました。そこまで先生の心の中に立ち入ることは慎みたいと思います。

そして私には、いまある思いが生まれています。それはこういうことです。

いまの科学では、宇宙がどのように誕生したのか、つまり生命のもとでもあるエネルギーのもとがどのように生まれたかは、解明されていない。だから、どこかに命が帰るところがあると思う人もいるでしょう。これは心とか信仰——特定の宗教に限りません——の問題だと思いました。どう思いたいか、ということなのでしょう。

ではあなたはどうかと問われれば、いま私は、あの世みたいなものがあってもなくても、どちらでもよいと思っています。

先生は、「記憶」という言葉を再三口にされました。人間が連綿と受け継いできた精神的なもの、つまり言語や文化や学問という、人間の素晴らしさを積み上げている第三の世界の記憶の中で、生きたその人の何かが永遠に残るという思いが支えになるのだと。そしてこの第三の世界は、「物質」として実在するのと同じくらい確実なものであり、だから物質としての私（わたくし）が死んでも精神としての私は残るのだと。

また、けなげとは自立した姿をいっているのだとおっしゃいました。

残酷な過ちを繰り返し、不条理な惨禍を幾度も経験しながら、それでも人間は生きてきたのですね。先生がしばしばおっしゃる「人間はけなげな存在である」という言葉を、最初は個人的に慰められる言葉として胸にとどめましたが、三・一一を経たいまは、もっと大きな目でとらえるようになりました。

こうして振りかえると、先生はいかに生きるかをずっと語られたのだと思います。

第三の世界に残す記憶、けなげな存在——これらの言葉は、私が学生のころ傾倒したフランス哲学者森有正が、ある人にいった言葉を思い出させました。誰かに愛されたいと思うなら、隠れんぼをして気を引いたり、ご飯を食べさせたりするよりも、「自分の部屋をきれいにして、自分の仕事をいっしょう懸命にすることです」。

パブリックに生きよ、人間を磨け——この先生の言葉が、森有正の言葉と重なります。自分の仕事を一所懸命すれば、誰かは見ていてくれると思いたい。私がこの世を去ったのちにも、誰かの記憶の片隅に刻印される仕事をしておきたい。これが生きることの励みであり、死に向かう支えです。こんなことを思っていると、あの世があってもなくても、どちらでもよいと思ったのです。

先生が話してくださった、たくさんのこと、そしてそれによって喚起されたいくつもの思いを、深く沈ませています。いずれ存在の底に下りていくときに記憶を携えていくことができるなら、そのときまで少しずつ結晶化させていこうと思います。

ここまで書いてやっとわかりました。

マックス・ウェーバーが「教師ではなく指導者を（学問に求めてはいけない）」といっ

たことにならえば、そして教師とは考えさせる人であり指導者とは答えを掲げる人であるならば、先生は教師であった。死ぬ意味と生きる意味の答えは、自らが出すしかないとおっしゃりたかったのだ。

すっかり長くなってしまいました。これで筆をおきます。この一年の特別授業は、私の誇りです。

艸場よしみ

佐藤文隆先生

あとがき

本文をお読みになったらわかるように、ある女の人が、ある思いをもって、科学者なる人種の考え方を知りたいと思い、その典型と目した佐藤文隆という人間に接触した。そこで、まず科学者という人種が一様でないことを知り、この人間への興味も湧いた。そして、この人物の語りと書き物を参考に、科学や科学者に対する自身のイメージの変容を記したのがこの本である。佐藤の意見や考えを正確に伝えることを意図したわけではない。空想上の科学者ではなく実在のある人物像を伝えるスタイルをとっているが、先述のような本であることには変わりはない。そこで、この短文で、この本で書かれている課題の周辺について、私自身が考えることを手短に述べておく。

「ワールドビュー world view」

科学といってもいろいろある。科学は産業、医療、安全・安心などで社会と強く結びついている。しかしそれだけでなく、かつての伝統的な習俗や宗教と入れ替わって、ワールドビューの源泉として大きな存在感をもつようになった。それどころか、科学技術と区別した科学というものは、このワールドビューづくりが本来のあり方だという科学者も多くいる。その反面、科学が社会で知的権威と見なされているのは、産業、医療、安全・安心などの場面で存在感を発揮しているからである。この本でいう科学とは、このワールドビューで社会と関わる一部分のことであるが、ツールの共用や研究の資金などの実態をみれば、その部分だけを純化して切り離せるものではない。少し時代を外してしまったが、かつて私は「Ｆ１レースの輝きは自動車産業の活力にある」といっていた。

ここでワールドビューというカタカナ語を用いたのには理由がある。世界観などという重々しい語彙を使うと「私に関係ない」「それをもつといいことあるの？」などという反応になる。世界観のイメージは強いて築くものであるが、ワールドビューにはもう少し軽い意味を込めている。意識するにせよしないにせよ、われわれは、自己と世界についての何らかの観念をもっているのである。自己の世界観を確立しようなどと力まなくても、必ず何かでそこを埋めているのである。日ごろの経験と情報に揺り動かされて浮遊するものではあるが、自然に「もよおす」世界観がワールドビューである。

この言葉を使ったもう一つの理由は、近年の欧米のサイエンスがらみの読書界のテーマに、このワールドビューが登場しているからである(文献1)。たとえば、そこで論じられているテーマは次のようなものである。

自然は機械的か？／物質とエネルギーの総量は一定か？／自然の法則は決まっているのか？／物質に意識はないのか？／自然に目的はないのか？／生物が受け継ぐのは物質だけか？／記憶は物質的なトレースか？／心は脳に閉じ込められているのか？／心理現象は幻想か？／幸せに効くのは薬品の機械的効果だけか？／客観性は幻想か？

要するに、いわゆるスピリチュアル志向の心の動きと科学のからむ課題であり、これらの本では、ダークエネルギーから脳科学までの先端科学が登場する。

本書に込めた私の意図

さて、本書の来歴は本文にたっぷり描かれているので付け加えることはない。著者の双方ともこのような内容のものを初めから意図したものではなかった。このような形で出版する意味があると、私は途中から考えるようになったのだが、その理由は次の二つである。一つは先述のスピリチュアリティもからむワールドビューの議論が、科学にとって大事になっていると思うからである。もう一つは科学精神の表看板の中核であった系統的懐疑主義が、専門科学の業界から発信されなくなっていることへの危機感である。

意見の不一致はイメージダウンだと思ってか、または既製権威と化した各分野の科学業界が一丸となって売出しに熱中するあまりか、科学の真髄というべき系統的懐疑主義が減退していると思う。震災・原発事故をめぐる混乱で、科学界の実態を垣間見せられると、こういう責任を背負う立場にない、ワールドビューに関わるようなサイエンスの発信情報は、大丈夫なのかと心配になる。もしかして、業界一丸の宣伝作戦に煽られているのでないか？と。ただ、科学の煽りに引っかからない系統的懐疑主義こそ科学精神の真髄だといわれると、科学なんて可能なのですか？という素朴な疑問が発せられるであろう。

実はここ十数年、私はこの課題を広く論じてきた(文献2〜5)。正直いって、課題の広がりに気づいただけであり、ひとことでいえるような答えはない。しかし、科学という営みが理念として掲げるべき次のＣＵＤＳ―公有性(communality)、普遍主義(universality)、私的利益からの解放(disinterestedness)、系統的懐疑主義(well-organized skepticism)――は、科学の核心だと考えている。これらは科学が掲げるべき理念であり、科学が自動的にこうだというのではない。先述の系統的懐疑主義とはこの四つの理念の一つのことである。ここで「系統的」という制限がついているのは、ヨーロッパ哲学では懐疑主義は、独我主義に陥るという論議があるからである。このＣＵＤＳ理念については文献２・３・５で多く論じたので、ここでは繰り返さない。

ロマン主義と科学

少しかたいいい方になるが、「ワールドビュー」も「系統的懐疑主義」も、「ロマン主義と科学」という課題として考究されるべきものと私は考えている。文献5で、科学の歴史的展開を「啓蒙」「ロマン」「専門」「産業」「国家」等のキーワードの推移としてとらえられると述べたが、ここで重要なのは、従来の科学の語りの中に「ロマン」が抜け落ちているという指摘である。一九世紀前半に興隆したロマン主義は、ヨーロッパ精神史としては重要な与件であるが、科学の勃興との関わりが十分には語られていない。この時代に科学が引き起こした奇矯な社会・文化現象の歴史的認識は今後のこの課題の論議に大事なものであろう。

ヨーロッパ社会の全般的な世俗化のなかで、魂から宗教が流出し、抜け殻となったものが発する渇望が、このロマン主義であったといえる。宗教性の薄い日本においても、伝統的な価値観の流出によって引き起こされる渇望は同質のものである。ロマン主義の重要な要素である英雄・天才崇拝などは、聖人や行者への帰依を代替えするものといえるし、「系統的懐疑主義」などとは正反対のものである。しかし、「ワールドビュー科学」は「ロマン主義と科学」というより広い課題の一部として論じられるべきであり、もう少し錯綜してくる。これについては場所を改めて論じることにする。

人生七五年の変遷

最後に、七五年間生きてきた私の履歴を簡潔に述べておく。そうしないと、同一の価値観をもった人間として、本文中の私の言行は、混乱のきわみと思われると考えるからである。

一九五六年の大学入学当時、時代の精神に煽られて、私も原子力や湯川秀樹に憧れ物理学を目指した。一九六〇年に大学院に進み、研究室の方針変更もあり、博士課程のころからは完全に宇宙物理の研究者となった。以後、比較的順調に、大学教員としてキャリアを積み重ねることができた。

ビッグバンやブラックホールをめぐる研究の急展開に社会の関心が集まるにつれて、一九七〇年代に入ったころから公衆の前でしゃべったり物書きをした。当時はそういうことに熱心な、先覚者の一人であったと自負している。しかし、バブル期の一九八〇年代も終わりころになると、私は公衆がこういうテーマの科学に何を求めて聴き入っているのか、不安になった。現実を逃避するための、単に心地よい言説を求めているように感じられた。また、熱心に聴き入る子どもたちも、単に流行語として先端科学を追いかけているように思われた。どうも、これらのテーマはサイエンスの入り口としては遠すぎて、誤った現実感覚をもちやすいことに気づいた。

そんな一九九〇年前後、これはベルリンの壁崩壊や冷戦終結の時期であるが、アメリカで建設途上の素粒子実験の加速器建設を中止する事件が起こった。私にとって価値観に関わる衝撃であった。この時の考察が、文献2の『科学と幸福』である。これは国家

高校時代，「アサヒグラフ」のマンガ投稿欄に何回か応募したが，1回も採用されなかった．この漫画はそうしたものの一つを思い起こして描いたものである．死の灰放射能には一方で先端科学の貴重なものだというイメージもあったのだと思う．遠く時代を離れるとバカげたことでも，渦中では現実味があるものなのである．

と科学の関係及び、ワールドビュー科学の存在意義という問題であり、さらに文献3・4・5においても展開した。

研究一筋といった美学からいえば、迷い道に入ったようなものである。しかし、強大な科学研究の業界に浸って生きてきた身であるから、理念をただ論じたり、日々生きている現実をひっくり返すような議論も安易すぎると考えている。私自身は、文献5の『職業としての科学』に書いたように、日本の科学は国民が営々として築き上げた公共財であり、シビリアンコントロールのもとに積極的に活用していくべきだと考えている。民主主義政治の課題である。

CUDSのような理念を、自分のサ

イエンスと関連させて次世代に受け継ぐにはどうすればいいのか？　こういう教育的意識が芽生えたころから、できるだけ身近な自然現象と関連させて宇宙物理の無感覚のトピックスを提示するようにつとめた。そうした作品が文献6・7・8である。最近の世相を見ていると、「ていねいな説明」「わかりやすい説明」といった言葉をよく聞く。この世のいい方は「説明」が問題なのであって、中身は整っている印象を与える。しかし、世の中の大半のことは、よく考えるとすぐにわからなくなるものである。わかるのは「こういう意味で「わかった」といってるのか」という納得である。大きな未知に這いつくばって、けなげに人間は生きているのである。

還暦のころから、学部学生時代以来気になっていた、量子力学の解釈問題とからんで量子情報という新分野が勃興していることを知り、その勉強を通じて新しいものを勉強するワクワク感を久しぶりに味わっている。円高により、驚くほど安く手に入る英語の書籍をいっぱい買い込んでご満悦である。また、英語の世界まで拡大すると、ネットで調べられる学術情報は膨大であることも実感している。一人で楽しむだけではもったいないと感じ、文献9・10・11・12のような、いくつかの書き物をしている昨今である。

二〇一二年一一月吉日

佐藤文隆

本稿に、科学の課題を問うていく可能性を見出し、企画の実現に尽力され本書の内容に的確な助言をくださった、岩波書店編集部の猿山直美さんに感謝します。

著　者

＊　＊　＊

文献

1 R. Sheldrake, *Science set Free: 10 Paths to New Discovery*, Random House, Inc., 2012; D. Chopra and L. Mlodinow, *War of the Worldviews: Science vs. Spirituality*, Harmony Book, 2011
2 科学と幸福、岩波書店、一九九五(以下、佐藤文隆著)
3 科学者の将来、岩波書店、二〇〇一
4 異色と意外の科学者列伝、岩波書店、二〇〇七
5 職業としての科学、岩波書店、二〇一一
6 火星の夕焼けはなぜ青い、岩波書店、一九九九

7 雲はなぜ落ちてこないのか、岩波書店、二〇〇五
8 夏はなぜ暑いのか、岩波書店、二〇〇九
9 量子力学のイデオロギー、青土社、一九九七
10 孤独になったアインシュタイン、岩波書店、二〇〇四
11 アインシュタインの反乱と量子コンピュータ、京都大学学術出版会、二〇〇九
12 量子力学は世界を記述できるか、青土社、二〇一一

現代文庫版あとがき

艸場　それにしても先生は、どこの誰ともわからない私の手紙を読んで、なぜ会おうと思ったのですか？

佐藤　この人はいったい何をいっているんだ？　という興味です。京大に勤めていたときは、大学の幹部という意識で社会に接していたが、辞めてから人生を変えようと思っていた。世の中には面白いことがたくさんありそうだから、頼まれたことは引き受けようという意識に変わったんだ。

艸場　でも先生は、現役のときから異分野の人と交流されていたし、一般向けに話をしたり本を書いたりと、世の中と接してこられたのでは？

佐藤　とはいえ科学にも大学にも権威があったし、その中で見かけよく振る舞う責任があると考えていた。それに、ぼくが研究者として育った時代の性（さが）で、熱烈な物理帝国主義者でもあった。しかし京大退職後はそれに囚われずに、「世の中探検隊」の気分で自由に人生をエンジョイしようと思ってたね。ただ後から見れば、その時期は大学や科学の転換期でもあって、ぼく自身の転換期と重なってるんだな。

あなたの手紙に、友だちが亡くなって死について考えたいので、佐藤先生に話を聞きたいとあって、「いや、まいったな」とは思った。それは佐藤文隆ではないだろう、とね。しかし説得力のある文章だったから、会ってみようと思った。事故みたいなものです、出会いはね。

艸場　先生は無傷で、私は複雑骨折しましたけどね。それでも振り落とされまいとしがみつきましたが、そんなことは平安神宮にでも行って考えろといわれ、どうしてよいかわからなくなったのです。すると先生はトーンが変わって科学の話をどんどん始めて、私は理解できないまま聞かざるを得ませんでした。

佐藤　あなたみたいに科学を間違ってイメージしている人が多いのかと思ったね。人間の生き死には人生の大事な話だけれど、テクニカルな科学とは峻別されるべきなんだ。このまま世に放つのはまずい、科学とはこういうものだ、といいたかった。

艸場　そうだったのですか。

佐藤　いま気づいたのか。

艸場　あ……いや、そもそもこの本で書いたこと、つまり先生がいわれたことの半分も、一〇年たった今でもまだわかっていません。でも、わからないまま頭のどこかに残しておくと、「ああ、このことか」とわかる瞬間があって、視野がぱっと広がる感じがします。

先生は、この一〇年どんなことを考えてこられましたか？

佐藤　ぼく流にいうと一〇年でなくここ二〇年だな。京大を辞めてからの二〇年でもある。この時期に社会における科学や大学の激変が始まったんだ。与野党対決法案じゃないので議論にならず、世間では注目されていないが、大学院重点化や科学技術基本法や国立大学法人化で、科学や大学の仕組みが大きく変わったのです。この制度の転換に個人の転換期が重なっていて、語るのがややこしい時期ではある。

だがその前に聞こう。あなたはどうなの？

艸場　私がこの一〇年で変わったこと、それは科学に対する見方です。自然科学と対極にあるような国文学出身の私が、先生との出会いをきっかけに生の科学者を近くで見ることが多くなり、それまで抱いていた科学や科学者像が大きく変わりました。

発端は福島原発事故でした。福島から遠い京都に住んでいたけれど怖くてたまらず、家中の窓を閉めてこもっていました。テレビやネットでは、放射線の飛散状況や人体への影響について科学者がさまざまな見解を述べていたけれど、それは極端にバラバラで、誰のどの話を信じてよいかわかりませんでした。また論客たちは、自分のイデオロギーに合う意見を正しいものとしてメディアで発信しているように見えたし、それに引きずられるように科学者同士が意見を対立させていました。

私はこれを見て、バラバラな意見を私たちの前に並べるのではなく、科学者同士で決着をつけて、それを私たちに示してほしいと思ったものです。

しばらくして佐藤先生の仲間の科学者から、原発事故についての議論を始めているから一緒に議論しようと誘われて、これ幸いと輪に入りました。メディアに出ずに地味に研究している科学者は、この事故をどう考えているのだろう。その人たちが怖がっていないなら私も怖がらなくていいし、できるならそうしたいと思ったのです。

かつて私が抱いていた科学者のイメージはこうでした。システマティックで整然とした世界の住人で、科学のことは何でもすぐに答えてくれる。しかし同時に、科学が人間性を損なってきたとも思いました。頼る気持ちと不信感が共存していたのです。

そんな私が、科学者たちと付き合うようになってわかったのは、科学という仕事は実にアナログで泥くさくて、細かい作業の積み重ねだということでした。実験も、「その実験をするための実験をするための実験をする」といったことを積み重ねていました。実験道具も小学校の工作よろしく身近な物で手づくりしたり、装置が予想通りに働くか、測定器が目的の物を正確に測れるか、一つひとつ地道に実験を重ねる。また科学者もすぐ隣の分野のことを案外知らなくて、科学でわかっていないことがいっぱいあるのも驚きでした。

もう一つ、私は物の見方を更新しました。「定量的に見る」ことを新しく知ったのです。科学者の口からしばしば「定量的」「定性的」という言葉が出て、最初はこの概念が理解できませんでした。なぜ理解できなかったのか、いま思うと不思議ですが、物事をそういうふうに見たことがなかったからでしょうね。

これは、メディアの人間にありがちな傾向だと思います。メディアは小さな声を拾い、光の当たらないところに光を当てようとする。メディアの仕事として間違っていないと思いますが、例外的なことを典型的であるかのように扱うことがある。例外というものは検証が難しい。しかしそれに注目してしまって全体を見なくなるのです。

この一〇年、原発事故や新型コロナなど、日々の生活に大きな影響を及ぼす科学の出来事が起きています。メディアにも定量的な見方が必要だと思います。

佐藤　定量的とは、合理性の一つだね。ただ、典型例から外れるものを知っておくことは必要なことです。それと、一万分の一だからといっても、人間は「一万分の一が私かもしれない」という気持ちが消えない。どっちが真理かではなく、両方を抱えて進むしかないんだ。

艸場　「合理的」も、私の中で変化した概念です。合理的という言葉は人間らしい感情を排したイメージがあって、以前は好きではありませんでした。が、本の最後に書いたように、実りのある対話や議論は合理的な思考の上に成り立つことが実感としても理解できました。

ただ、合理的という言葉を気にして眺めていたら、戦争も合理主義的な前提で仕掛けるみたいな、自分に都合よく理屈をつけることにも使われますね。科学の合理性と社会の合理性は違うのでしょうか。

佐藤　合理性は真理とは関係なく、真理にいたる方法の一つに過ぎない。これが前提ならこうなるという推論に誤りがないことで、前提がおかしければおかしな結論が導かれる。一方、自然科学では実験結果という前提があるので、合理性が前面に出るんだね。だから実験結果の再現性が客観的に争われ、「STAP（スタップ）細胞ありまーす」ではすまない。そこが社会現象の扱いと違うところ。

ただ、技術の進歩で電気が使えるようになると、それまでとは違った自然が実験事実として見えてくるから、自然科学の事実も「その時代の」という条件付きになる。

艸場　科学は合理性と客観性がセットなのですね。

「客観的」について、こんな話を思い出しました。ある科学者が、「マウス実験で、自分の予想通りの結果を出したいと思うと、ついぎりぎりまでカウンターを押してしまう」といっていました。また、実験や観察で得た生データをグラフに落とし込んで、誤差を勘案して線を引くとき、「つい、こういう結果であってほしいと思う線を、えいっと引いてしまう」と。科学者も人間なんだなあと思いました。

客観的であることを標榜していても、自分の研究分野に肩入れしてしまうのは誰にでもあることで、それを常に意識しておくことが大事なんだろうなと思いました。

佐藤　肩入れが過ぎると研究の信用を落とすからね。ただ、こうじゃないかという思い込みがまったくないと、人間はエネルギーが出ないんだ。人間の行動をモチベートするものは合理性だけではないから、これらを全部排除したら味気ない。思った結果が出るはずだと粘るのは当たり前で、それは研究に限らず物事に取り組むときの執念といった人間力の話であって、科学そのものとごっちゃにしてはいけない。

自然科学は誰がやっても同じ結果が出る、つまり再現性があることが大事で、これが客観性の要件です。ただ、そこにいたる途中では、世界中の専門家同士が自分こそ正しいと思って鵜の目鷹の目で足の引っ張り合いをしているのが健全で、いろいろあっていいんだ。だが最後まで「ありまーす」ではすまないのが科学。また権威主義的にアインシュタインがいったから正しいと決めてかかるのも不健全です。

艸場　先生は、この一〇年、いや二〇年をどう見てこられましたか？

佐藤　揺籃期から手がけたビッグバンやブラックホールの研究が、観測で大きく展開していくのを見てると「ほれ見ろ」と誇らしい気がする。ただぼく自身はこの二〇年、宇宙物理に量子力学も加えて物書きに徹してきたがね。

それと、日本のノーベル賞ラッシュが続いて、ぼくらの世代が実感した日本の科学のダイナミズムが顕彰された気がしてうれしいよ。

艸場　さぞかし科学者を目指す若者も増えたでしょうね。

佐藤　しかし、ここ一〇年減っているらしい。

艸場　湯川ノーベル賞に影響を受けた佐藤少年のように、目指さないんですか？

佐藤　その時代とは科学界も変わったんだ。科学界の変遷をそのころからたどると、かつては「少数の天才の職場」みたいな古めかしいイメージだったのが、いまは金も人も激増して巨大組織になった。一〇〇年で一〇〇倍になったといわれている。

かつて科学者はどの国でも社会的にエリートだったから、権威のヴェールもあって、世間は「私たちにはわからないけれど、科学者は何か大事なことをやっているんだろう」と信頼していた。ぼくも学者になったころ、専門性と倫理性が一体化した存在と見られていることに気づいて、こそばゆかった。社会の期待とのギャップを感じて怖いなと思ったね。しかし時代が進んで世の中どこでも透明性の要求が高まり、権威のヴェールが急に外されてまる見えになったんだ。中身が悪質になったというわけではなく、旧来の麗しい科学者像が社会から失われていくのを感じたね。

そしてここ二〇年を見たとき、さっきいった制度上の転換期に入って、科学者に対する社会的信頼が低下したなと思う。それが若者の科学職離れを引き起こしていると思うね。

艸場　どうして信頼が低下したんでしょう?

佐藤　お金の不正と論文の不正でしょう。

九〇年代に入るとお金の不祥事がよく新聞ダネになったね。私腹を肥やしたわけではなく、「工夫し過ぎて」会計のルールに外れた「不正」まで大きく報道された。会計不正というと些細なことのように見えるが、巨額のお金が動く職場になったことがこの背後にあるんだ。

艸場　それまでは不正をするお金もなかったということですか。それに会計不正は一般市民にわかりやすいし、イメージダウンにつながります。

佐藤　九〇年代後半から二〇〇〇年代初めにかけて、好況だった日本経済の蓄積とイノベーション重視の科学政策によって数倍増えたような感じがしたね。最先端の実験装置の導入が奨励されて、京大の構内でも大きな装置を搬入する巨大なクレーン車が毎日のようにどこかで動いていた。モノだけでなく海外渡航やイベントの手配でも大きなお金が動き、企業にとっても科学界は大事な商売先になったんだ。貧乏くさい人種だったのに、自分のポケットに入るわけではないが、まわりで大金が動くのはあぶない。もっともデフレ気味のここ十数年は、研究費は貧困化しているが。

信用失墜の二つ目は論文不正です。これは世界的にも増えていて、競争が激化したからです。分野ごとの競争でなく、分野の中での個人の競争の激化です。

例のSTAP細胞ほど派手ではないが、日常的に報道され始めた。製薬会社と癒着したデータの捏造のような不正は社会的に影響が大きいが、そうではない場合は以前なら研究業界で信用をなくすだけで、社会的に罰せられるようなことはなかったんだ。

艸場　なぜ競争が激化したのですか？

佐藤　日本の場合はポストも研究費も、一見もっとも公正な「業績」という数字で評価することになったからです。前は、その人の可能性を見てお金やポストを与えたものだが、それまでの業績で評価するしかないとなれば、個人間の競争は激しくなるでしょう。

また、転換期の政策の一つである大学院重点化で、研究者は一時期増えたけれど安定したポストが増えず、ポスドク(大学院で博士号を取った後、大学教員になる前の研究職)の期間が長引いて将来不安が増し、ブラック職場などといわれた。ここ十数年で起こった大きな問題です。

艸場　非正規雇用の形態や研究費の削減が、日本の科学・技術を低下させたといわれますね。

佐藤　単純な理由の一つは少子化でしょう。大学はどこも学生定員も教員数も減っている。

ただ、ポスドク問題の背景には、日本の雇用慣行があるとぼくは見ている。一般企業でジョブ型雇用が進まないから、特に教育熱心な家庭の親は「うちの子は東大を出たのに、なんで非正規なんだ」と思ってしまう。日本はポスドク問題のハンドリングを誤って、教育熱心な家庭での科学職の評判を落としたことは痛手だった。わが子がそこで羽ばたいてほしいと思うような、そんな職場を回復しないと、優秀な人材が集まらなくなるし国際競争力も低下する。

艸場　どうしたら信頼が回復するのでしょうか。

佐藤　科学者と世間の対話が必要だと思うね。

艸場　たしかに昔から、世間のことには無頓着というのが科学者のイメージでした。

佐藤　だが対話が必要といったって、一人ひとりが個別にできるわけじゃないし、年がら年じゅう社会との関係を考えていては専門の研究が疎かになる。社会と結ぶ制度の工夫がいるのだろう。

これまでの科学は、専門的なことは専門家にしかわからないとして、分野ごとの独立性と自治を尊重してきた。しかし、二〇世紀の終わりごろからそこで収まらない問題がいっぱい出てきた。環境問題がその典型だね。たとえばフロン。工学的に便利な気体だとして冷蔵庫に使ったら、オゾン層破壊が進んで「紫外線をどうしてくれる!?」となった。各分野の成果をバラバラに社会に放り込んだらたいへんなことになるから、科学にもシビリアンコントロールが必要になる。

科学各分野の関心と社会の関心を調整する、科学全分野をとりまとめる学術会議のようなアカデミーの制度が機能すべきだと思う。

艸場 分野の独立性は取り払ったほうがいいのですか？

佐藤 いや、そうではないでしょう。分野ごとの専門の関心事で競い合う場を解体してしまうと、科学の創造性は失われて知の泉は枯れてしまう。とはいえ社会的要請は大事なことだから、制度的な工夫がいるんだ。

艸場 それは自分の仕事で考えてもよくわかります。

佐藤 加えてぼくが思うのは、科学を横断する学問が必要だということです。

艸場 「学問」は先生からよく出てくる言葉ですね。

佐藤 人間として、専門を超えた広い視野を持つということです。具体的には、人間が歩んできた歴史に思いをいたすことだと思う。幸せになるにはどうしたらよいかは神様が教えてくれないから、人間はけなげに自分で工夫してきたんだ。そういう人間を知らないといけない。それが「あの人たちは私たちのためにやってくれている」という専門への信頼につながる。だが、最近、これがおざなりにされていると思うね。

艸場 社会に役立つことをしなさいといっていると、研究が狭くなってしまいませんか？

佐藤 それは心配しなくていい。環境問題に貢献しようと思って環境と生物の研究を始めたら、生物とは何かという興味が発生して生命の起源へと目が移り、いつの間にか環境から離れ……と。研究の現場はそういうものです。

艸場　考え詰まっているとき、先生の広い視野に助けられることがあります。面白いのは、物理学という軸から社会や歴史を見てこられたことでした。先生のものの見方が新鮮で、本質を一瞬でわしづかみする感じが……こんなこといいたくないけど……かっこいいです。

佐藤　ただ、ぼくをつくったのは、物理学ではなく学問の素養だという自覚がある。

ぼくは山形の田舎の高校生のときに、「ビキニ事件」の報道で初めて学者湯川秀樹を知って、すごい人だと思った。この「すごい」は、原爆のすごさとゴッチャになったトンチンカンな結びつけ方です。中身はわからなかったが、そんなすごいことをやってみたいと思って湯川を追って京大の物理にやって来たんだ。

そもそもビキニ事件で湯川を知るのもおかしな話だと思うかもしれないが、当時の新聞記者も、「ビキニ事件」のときは湯川のところに押しかけているのだから、田舎の高校生の錯覚だとも笑えない。

艸場　非日常との突然の出会いは、そんなものかもしれませんね。

佐藤　誤解に誤解をかけたら正解みたいな話です。「ビキニ事件」だって偶然なんだ。

それまでも、水爆実験は秘密裏に何度も行われていた。ところがあのときは計算外れの威力が出てしまって、過剰な核保有の実態が天下にさらされたんです。ちょうど原子力平和利用の米大統領演説の余波が広がる時期と重なって、水爆の威力が高校生のぼくに降ってきたんだ。「放射線はすごい、タダで降ってくるんだ。袋詰めにして売ったら儲かる」と思ったよ。

艸場　あのマンガですね(二三三ページ)。

佐藤　京都に来て湯川を遠望すると、その学問は非常に幅広く、ぼくも背伸びして真似しようとしたね。湯川が『荘子』を愛読していると知ると、さっそく読んでみた。湯川とともに朝永(ともなが)振一郎のエッセイからも大きな影響を受けた。この二人は「追っかけ」の対象として的中だった。

それと、視野が広がったのは何といっても外国です。七〇年代に一年間アメリカのバークリーで生活し、これを皮切りにしばらく毎年のように世界をめぐった。海外の大学や研究の実態やその背景を知って日本を見る目が変わったたし、この体験がきっかけで歴史に関心が行ったのかもしれない。思いがけないことで歴史が動くことを知った。抽象的な概念を組み合わせて論じるのではなく、具体的な歴史からものを考える癖がついたね。

艸場　私はこれまで歴史に関心がなく、歴史というと教科書で覚える覇権の変遷ばかり。

科学史なんて歴史のおまけでした。でも、印刷技術の発明が西洋の世界をじわじわと変えていったように、科学技術が人々の価値観を変え、世の中の変化につながることを先生に教わりました。科学も歴史と相互作用があり、科学の変遷や成果をいまの価値観でさばいていくと見誤ると思いました。

佐藤　歴史を見ると、いかに人びとの常識や価値観が変わってきたかを知ります。あなたが「技術が人の価値観を変える」といったように、ＩＴやＡＩの技術も人間を変えていく。

学問の世界も変わっていくと思うよ。ぼくは六〇年代のコンピューターの黎明期から使ってきたから実感があるが、その進歩は想像を絶するものです。ぼくらの時代は、古今東西の歴史を知るのは本を読んで勉強することだった。でもこれからは、それをコンピューターに放り込めばよくて、「身につける」の意味が違ってくるかもしれない。

艸場　学者も考えなくなるんですか？　先生に出会う前は、学者なんて自分とは無関係で、子どものころに読んだ西洋の小説に出てくるクラシックな種族でした。でも今は、学者も学問も社会を支える大事な要素だと思うようになったのですが。

佐藤　本で学ばなくても、コンピューターに過去の知恵をデータで入れておけばいいんだ。何を聞いてもＡＩが答えてくれる。それでどうするかは人間だろうが、専門家は

ＡＩの使い方の上手下手で評価される時代になっていきそうな気がするね。すると、世間から「ＡＩにすがるな！」と詰め寄られるんだ、きっと。

艸場　本に親しむこともなくなるのはさみしい限りです。

佐藤　これからどうなるんだろうと思うね。ぼくはちょうどいい時代に生きてきたんだな……。

艸場　先生、逃げ切るんですか？

艸場よしみ記

解説　宇宙と死をめぐる根問

サンキュータツオ

本書を読みながら想起するのは、たとえば古典の存在です。

千早ぶる神代もきかず竜田川からくれないに水くくるとは

という在原業平の名歌があります。百人一首にも入っているこの歌、プレイボーイとして知られていた在原業平が、恋に落ちた皇后高子の屛風絵に描かれた見事な紅葉をみて、それに合った歌をつけたものとされています。いまでいえば「写真で一言」みたいなものでしょうか。屛風歌は当時けっこう流行っていたそうです。ただ、身分違いの恋をした業平は、駆け落ちまでしたけれど結局この世では引き離された相手と、屛風の中でだったら一組になれるよねという気持ちも込めて詠んだとされているので、けっこう切ない歌です。

紅葉はただの「紅」色ではなく、当時は舶来を意味する「唐」や「韓」のニュアンスがある「唐紅（からくれない）」、つまりは目も覚めるような色鮮やかな紅です。竜田川の川面にみっしりと紅葉が流れていて、まるで竜田川が紅く絞り染めしてるようだ、と表現していま す。竜田川を擬人化したような見立ても素晴らしい表現上の工夫です。しかもこんな光景は前代未聞の美しさで、神々の時代にも聞いたことがないくらいだ、というのです。ちなみに、千早ぶる、は「神」にかかる枕詞、どんなことでも起こり得た神々の時代でもなかったほどの、という意味なのでやはり「前代未聞」といったところでしょう。

意味だけを読めばこんなところでしょうが、古典はその時代に当たり前だったことを圧縮したZIPファイルです。ファイルの解凍にはそれなりの知識が必要です。たとえば、いま例に挙げた枕詞は、「神」を導き出すための言葉ですが、それが定型化した背景には、「千早ぶる」(激しい勢いで、素早いふるまいで)は「神」にかかるよね、「そうだよね」「そうだよね」という当時の人たちの知識のコンセンサスが得られています。言葉の音の数を整える役割だけではなく、声に出してただ「神」というよりも、「ちはやぶる」とほぼ神と同義の言葉をのせて、神の登場を情緒的に盛り上げるわけです。「ライオン」というか、「百獣の王 ライオン」というかで印象が変わる、そんなところでしょう。屏風歌であることも、「からくれない」のニュアンスも、在原業平と皇后高子の関係も、そんなことは説明しなくてもみんなが知っていることでした。だからこそ、三一文字という有限の文字数から、さまざまな味わいが広がっていく。情報のかさは文字数以上です。

しかも、この歌はいまだに知られています。もはや意味はわからないけど、歌は知っているというレベルの人が多いくらい、伝承されてきています。ただ知っているだけではありません。いまではアニメ化や実写映画化もされた有名なコミック『ちはやふる』(末次由紀、講談社)という競技かるたを扱った作品のタイトルにもなっていることが知られていますし、古典落語にも「ちはやふる」という噺があります。子どもに「ちはやふる」の歌の意味を聞かれて困った八五郎が、慌てて町内の博識として知られるご隠居さんに歌の意味を聞きに行くのですが、実はご隠居さんも意味を知らない。けれど、ご隠居さんは博識で通っている手前、知らないともいえない。そこでその場しのぎの口から出まかせの意味を教えていくという噺です。根掘り葉掘り聞いていく「根問(ねどい)」というジャンルの噺で、ほかにも「やかん」とか「浮世根問」とかもここに入りますが、偉そうにしているご隠居が知らないといえないで適当にあしらっていく、というスタイルは共通しています。

このように、「ちはやふる」は時代の風雪に耐えるどころか、時代を経るごとにさらに新しい意味やニュアンスを帯びて進化してきています。

なぜこんな話をしたかといえば、佐藤先生の「第三の世界」を個人的に拡大解釈して、合理性を根拠にする科学とはまた別に、人間たちの「そうだよね」「そうだよね」は確かに積み重なっているなと私は思ったからです。

本書は、「宇宙と死をめぐる特別授業」とサブタイトルで銘打っているように、艸場さんが持つ「死」というものへの「問い」を、それまでの艸場さんの人生の文脈には存在していなかったであろう、「宇宙」を科学する佐藤先生にぶつける形で進行していく、失礼を承知でいうならば、八五郎とご隠居の関係のような「根問」ものです。ただ、落語と決定的に違うのは、艸場さんはどんなに壁を感じようと納得するまで、文字通り藁にもすがる気持ちであきらめずに「はいつくばって」疑問を投げ続け、佐藤先生はそんな艸場さんに決して適当なことはいわず、わからないことは「わからない」と言い切る潔さをもった誠実な人物であったということ。

そして、これが当初の艸場さんの目論見とはだいぶちがって、ただ腹に落とすだけの詩的な言葉をもらったのではなく、結果的に、科学者(あるいはリサーチャー)であるところの佐藤文隆先生の学問観に触れ、ひとりの人間としての「佐藤文隆」の考えを引き出すことに成功しました。科学者としての佐藤文隆のなかにいる、謙虚でありながら愛情溢れる人柄までも読者に伝えられたのは、艸場さんの好奇心と執念の賜物ですよね。インタビュー形式にせよ、なぜ時系列順に出会いの場面の描写から入るのか。なぜ「私」という存在を前景化させるのか。喫茶店での待ち合わせの描写はそんなに必要なのかと、冒頭困惑した人もいるかもしれません。が、艸場さんは冒頭から「実在する、血の通った人間」としての佐藤文隆を描こうとしてくれていたんです。だからこういう導入になった。そしてこの仕掛けが、宇宙の話や科学の話にとどまらず、学者とはどうあるべきか、専門をもつとはどういうことなのか、理念や倫理とはどういう存在か、といった宇宙の話の「周辺」の話をも読者に自然に受け入れさせてくれています。私にとってはむしろこの「周辺」の話こそ本編といっていいほど本質的な話が並んでおり、二人が喫茶店で話しているのを毎回となりでドキドキしながら聞き耳を立てて聞いているような気持ちになりました。「ぼくは自由と民主主義が好きなんだ」と、照れもせず、胸を張って言い切る佐藤先生に、思わず熱いものがこみ上げてきます。ここまでストレートな表現が飛び出すにいたって、読む人も艸場さんと一緒に人間「佐藤文隆」に触れたと感じられたのではないでしょうか。

会話の醍醐味は、この本の展開のように、ひとりの語り手、あるいはひとりの聞き手の予測通りに話が展開しないところにあります。こういうことを聞きたかったのに、こういう話をしたかったのに、というお互いの思惑がダイレクトに伝わってくる。ただの対談だと予定調和的に話を微妙にスライドさせていく技術なども出てくるのですが、このふたりの会話に予定調和はありません。とくに第一章のヒリヒリ具合はたまりません。先生側の立場からすれば、これまで何度も投げかけられた「もよおし」た人による質問だらけで、ありとあらゆる場面で艸場さんが虎の尾を踏みまくっているのです。

「市民講座でぼくがわざとそんな話をするのはね、宇宙に逃げたいという人が多いからなんだ。知的な意味でも、地上の話はあきあきだとね。しかし科学は、地上の実験室でわかったことで宇宙を読み解くのです。宇宙に特別の法則があるわけじゃない」とか、それはもうハッキリと、先生はうんざりしています。いわば門前払いにも等しいこのようなやりとりを、すべての対話を終えた艸場さんが書籍にまとめるにあたって、読者が追体験できるように再現したというのは、誠実ですよね。でも読んでいるほうとしては「もうやめてー!」と叫んでしまいそうになります。途中から笑いが止まりません。ただ、すべてを読み終えてからこの第一章を読み直したとき、実は文章で「再現性」という科学の大事な要素を艸場さんが実現させようとした意図を感じます。いや、これは深読みかもしれませんが、とにもかくにも「これはガチ」と思わせるに十分な導入でした。

もうひとつ、本書をエキサイティングにしている要素、それは「宇宙」の話に、「死」というまったく別次元の話を絡めたところです。といいますか、別次元だと思っていない艸場さんが、別次元だと思っている佐藤先生に飛び込んだのです。この「かみあってなさ」が、対話を重ねていくうちに、無理やり「かみあわされていく」様がドキュメントとして面白い。それは、東日本大震災という出来事が契機となったこともあったのだけれど、二人が同時に「身近な死」を経験したことで、なかば半強制的に話の俎上にあがったという感じです。佐藤先生が艸場さんに根負けして、こうなったらとことんまで行ってやれ、と覚悟したところから二人の関係が動いていきます。話し手と聞き手という関係ではなく、佐藤と艸場という「関係」の変化を追う読み物としての面白さがここで担保されました。読者は、艸場さん寄りでも、佐藤先生寄りでも、どちらからでも楽しめるのです。

実際、私がはじめに感情移入したのは佐藤先生でした。たとえば、私は一応日本語学という学問領域で「文体論」とか「日本語教育」とかに携わってきた人間でもあるのですが、「は」と「が」の違いはなにかとか、「だいたい」は辞書でひくと「まず」と書かれているのになぜ「この本はまずいくらですか」とはいえないのかとか、横光利一の無生物主語を立てた描写がそれまでの描写となにが違うのかとかを記述したり考えているときに、「ところで死についてどう思いますか」と聞かれたら、いやいやいや、それは「鬼神語らず」でしょうというはずです。とても佐藤先生と並べることはできませんが、宇宙と言葉はそれだけ常日頃、人びとが触れている身近なものという共通点があるので、そのぶん研究者でない人でも自分なりの考えをもっている、というちょっとうれしくてちょっとやっかいな領域です。自分としては考えることはあるけれど、日本語学者として「死」を聞かれてもなあと思います。しかし、そもそも日本語学者に「死」を問う人はいません。ただ、佐藤先生には「死」を問う人がいる。なぜならば専門が「宇宙」だからです。佐藤先生からすると、「なんでそんなに宇宙研究にだけ特権が認められてるの?」と、聞かれるたびに研究に対する「無理解」と、自分のこれまでの言動の「無力さ」を、他の領域の先生たち以上に抱えていたのかもしれません。むろん、「宇宙」の研究にだって無数に研究のテーマとスタンスが存在しているので、「なんで私なの」はもっとあったはずです。それはたとえば「日本語」を専門にしているというだけで、「語源」や「漢字」や「方言」に詳しいと思われていたり、「正しい日本語」なる存在しない幻想をあたかも裁判官のごとく判定する人だと思われていたりという、日本語学者が常にさらされる無理解に触れるのと同様で、その質問は「内閣改造との距離」のほうが近い、とどんな質問に対してもいうにちがいないです。少なくとも「それ聞く相手は私ではないよね」と思います。

ですが艸場さんは、観察眼が鋭かったというべきか、あるいは超ラッキーだったというべきか、どんな質問にも真摯に向き合う佐藤先生を選んだのです。そう、佐藤先生は常に社会との接点を考えている人だったんですよね。

先に挙げた「ぼくは自由と民主主義が好きなんだ」のあとに、佐藤先生はこう続けます。「そのためには、みんなが賢くなることが非常に大事なことだと思うね。それが社会を安定させると思うからです。賢くなって自立しないといけない。ぼくがいう「けなげ」とは、超能力的なものに頼らない「自立」という意味でもあるんだ」。知はできるだけ大勢で蓄積していき、みんなが賢くなるために、あなたがはいつくばって問い続けるならば、私もはいつくばって答え続けようじゃないか。そういうコミュニケーションが行われていきます。答えられるだけの知見と言葉を、佐藤先生はもっていたんです。それがこの本の奇跡的といってもいい面白さに繫がっています。

サイエンスコミュニケーションという言葉を聞いたことがある人がいるかもしれません。大雑把にいうと、専門的なことがらを、なるべくわかりやすく専門に触れていない人にも伝える、というコミュニケーション(あるいは学問領域)です。予算がなににどう使われているのか、それは私たちの生活にどう影響してくるのか、知る権利はだれにだってある。けれども研究者はコミュニケーションのプロではないし、また何度も同じ話をするほどの時間も労力もない。なので、コミュニケーターという立場の人が間に入って語ることもあるし(このほどアナウンサーだった桝太一さんが、プロのコミュニケーターとして大学に就職されましたよね)、ごくまれにご自身でも語る力と言葉をもっている先生がいる。佐藤先生は後者だったのです。

この本が、出版からおよそ一〇年を経て文庫化されるほど、名著といわれ続け読み継がれている理由は、この本がサイエンスコミュニケーションの記録でもあるからです。そして普遍性がある「古典」にもなっていることは、この一〇年で世界で起こったことを思い出してみてもおわかりでしょう。学問や学者や科学の歴史から語った佐藤先生の言葉は、まるで未来を予言していたかのように、「そういえばあの出来事……」と思わざるをえないさまざまな現象にあてはまります。政治と学問との関係、政治と超越論的な組織の関係、コロナ下における科学のあり方と、コミュニケーションや報道の重要性、合理性の重要性などなど。古典は常に「いま読まずにいつ読むのか！」というほど、時代にマッチし続けています。

「「確率が示す意味や価値は、立場によって違うということです。たとえば、放射線の影響が一〇〇万人に一人の確率でしか出ないといわれても、その一人が自分かもしれないという感覚は抜けない」

その気持ちはよくわかる。

「しかし行政対応には有用な知識です。こんなふうに、ある確率がいっぽうの人には不安にかりたてるものに見え、いっぽうには役立つものに見える。統計でものを語るときは、この非対称性を知っておかねばならない」」

「人間だけは論理的に整理して記録に残し、知識を伝えることをする。これは第三の世界をもっている人間だけである、と先生は続けた。

「雷は電気の作用だという知識が世の常識になって、あおりが鎮まったように、正しい知識がじわじわと人々の常識になっておかしなあおりが起こらないために、学問がある。学問は、パブリックに役に立つためにあるのです。非常に古臭い価値観ですよ。だがこれは、ぼくが学者になるときの心意気です」

現在でも、非常識がじわじわと人々の常識になりつつあるような感覚にも襲われて背筋が凍ることもあるのですが、学問だけはパブリックに役に立ってほしい。いまや佐藤先生の言葉はこの本を読んでいる皆さんには「祈り」に近いのではないでしょうか。

「ぼくが月給をもらってやってきたことは、第三の世界への寄与だと思っている。人類がけなげに積み上げてきたことに貢献できたことが、生きがいといえば生きがいかもしれない」と佐藤先生は語っていましたが、「貢献できた」と胸を張っていえる学者が、いったい研究の世界に足を踏み入れた人のなかにどれほどいるでしょう。人生をかけて取り組んだことでも、しっかり「第三の世界への寄与」をしたという実感をもてる人、実績を積めた人は、ごくごく一握りです。人生をかけてやってきたことが「まちがいだった」と気づけた人も、まだ幸運なほうです。ひとつ可能性を消しただけでも人類に寄与できるからです。

そういった状況をだれよりも知っているはずの先生から、「第三の世界に人類の一人として寄与できたことが、ある意味で永遠に生きるすべであるかもしれない」という言葉が出てきました。

科学を過大評価も過小評価もしない謙虚な佐藤先生から、こんな自負を引き出した記録を読めただけで、艸場さんありがとう！ という感謝の念に堪えません。この本もまた、第三の世界に寄与する一冊です。

（漫才師・日本語学者）

本書は二〇一三年一月、岩波書店より刊行された。

「科学にすがるな！」―宇宙と死をめぐる特別授業

2023 年 1 月 13 日　第 1 刷発行

著　者　佐藤文隆（さとうふみたか）　艸場（くさば）よしみ

発行者　坂本政謙

発行所　株式会社 岩波書店
〒101-8002 東京都千代田区一ツ橋 2-5-5
案内 03-5210-4000　営業部 03-5210-4111
https://www.iwanami.co.jp/

印刷・精興社　製本・中永製本

ISBN 978-4-00-603335-4　Printed in Japan

岩波現代文庫創刊二〇年に際して

二一世紀が始まってからすでに二〇年が経とうとしています。この間のグローバル化の急激な進行は世界のあり方を大きく変えました。世界規模で経済や情報の結びつきが強まるとともに、国境を越えた人の移動は日常の光景となり、今やどこに住んでいても、私たちの暮らしは世界中の様々な出来事と無関係ではいられません。しかし、グローバル化の中で否応なくもたらされる「他者」との出会いや交流は、新たな文化や価値観だけではなく、摩擦や衝突、そしてしばしば憎悪までをも生み出しています。グローバル化にともなう副作用は、その恩恵を遥かにこえていると言わざるを得ません。

今私たちに求められているのは、国内、国外にかかわらず、異なる歴史や経験、文化を持つ「他者」と向き合い、よりよい関係を結び直してゆくための想像力、構想力ではないでしょうか。

新世紀の到来を目前にした二〇〇〇年一月に創刊された岩波現代文庫は、この二〇年を通して、哲学や歴史、経済、自然科学から、小説やエッセイ、ルポルタージュにいたるまで幅広いジャンルの書目を刊行してきました。一〇〇〇点を超える書目には、人類が直面してきた様々な課題と、試行錯誤の営みが刻まれています。読書を通した過去の「他者」との出会いから得られる知識や経験は、私たちがよりよい社会を作り上げてゆくために大きな示唆を与えてくれるはずです。

一冊の本が世界を変える大きな力を持つことを信じ、岩波現代文庫はこれからもさらなるラインナップの充実をめざしてゆきます。

（二〇二〇年一月）